Lo que tenemos en común

Antología de narradores peruanos en Estados Unidos

Compilado por
Alfredo M. Del Arroyo y Ricardo Vacca-Rodríguez

Lo que tenemos en común
Antología de narradores peruanos en Estados Unidos
Compilado por:
Alfredo M. Del Arroyo y Ricardo Vacca-Rodríguez

Todos los Derechos de Edición Reservados
© 2019, de sus respectivos autores: Alberto Caballero, Alfredo
M. Del Arroyo, Ani Palacios, Fernando Salmerón, Jerry Gomez
Shor Jr., Julio Jesús Zelaya Simbrón, Luis Fernández-Zavala
Ph.D., Martín Balarezo García, Rina Soldevilla, Ricardo Vacca-
Rodríguez, Rocío Uchofen, Ulises San Juan
Pukiyari Editores

ISBN-10: 1-63065-110-9
ISBN-13: 978-1-63065-110-7

PUKIYARI EDITORES
www.pukiyari.com

A los escritores hispanoamericanos,
quienes a través de la creación de ficción literaria
buscan contribuir a la construcción de una sociedad mejor

Índice

Prólogo 11

Ficción en su salsa 15

Alberto Caballero 16
El blanco de sus ojos 17
Entre barbas 20
Cambio de condición 22

Alfredo M. Del Arroyo 36
Donantes involuntarios 37
Dejà vú de un amor reencarnado 46
Detrás del lienzo 53

Luis Fernández-Zavala, Ph.D. 56
El hotel que la habitaba 57

Ani Palacios 96
A treinta y tres centímetros del abismo 97
Bordes desgarrados 104
Jeremiah Twingle y la soledad asesina 111
Receta para una ilusa 115

Rina Soldevilla 122
Confesión 123

Ricardo Vacca-Rodríguez 136
Perfume de cangreja 137
Detrás de la pared 142
El beso de la medianoche 145
El acertijo 147

En rescate de la memoria **161**

Martín Balarezo García 162

   La mente de Ella 163

Jerry Gomez Shor Jr. 176

   El primer beso 177

   Amnesia 180

   El préstamo 184

Fernando Salmerón 186

   Las Chicas del Can 187

Ulises San Juan 196

   León americano 197

   El gringo Jake 207

Rocío Uchofen 214

   La noche de Sandy 215

   Segundo plano 220

Julio Jesús Zelaya Simbrón 222

   Dos amigos, dos bohemios 223

   La hermana desconocida 225

   Curas modernos 228

   El sorteo jurídico 232

   Los inspectores de trabajo 235

   Un reencuentro emocional de juventud 237

   Perdonar es divino 240

Prólogo

La presencia de las letras hispanas en el territorio de los Estados Unidos de Norteamérica es de vieja data. El castellano fue el primer idioma que introdujo la cultura occidental en estos territorios. Desde las crónicas de los exploradores-conquistadores hasta la actual explosión cultural de las ferias de libros hispano-latinos asociado al surgimiento de editoriales independientes que solo publican libros en castellano, se han dado avances, retrocesos, afirmaciones y diversificaciones de este inmenso y significativo mundo cultural que, a decir del profesor Nicolás Kanellos, necesitaría de miles de investigadores trabajando durante muchos años para poder ser sistematizado y lograr ser entendido. Sin embargo, se puede afirmar sin lugar a equivocación, que la producción literaria no se ha mantenido estática, sino que sobre todo en los últimos quince a veinte años ha originado una importante dinámica debido principalmente a grandes acontecimientos histórico-sociales ligados a la inmigración.

La primera generación literaria conformada por los conquistadores y sus escribas se enriqueció y se fue transformando con la escritura de los hispanos que nacieron en el territorio; a ésta se sumó la generación de migrantes, fundamentalmente de México, Cuba y Puerto Rico y en los últimos años, probablemente desde la década de los sesentas, la ola de inmigrantes de diversos países latinoamericanos. Asumimos que la siguiente generación estaría conformada por los hijos de estos últimos que nacen y se educan en los Estados Unidos.

Lo que tenemos en común es una colección de narraciones que pertenecen a un grupo de inmigrantes provenientes del Perú, quienes nacieron, se educaron, trabajaron en el Perú, ejercieron diferentes profesiones aquí y allá, pero escriben y publican en los Estados Unidos. Si bien no todos los autores de esta colección iniciaron su labor narrativa en Perú, algo que comparten es haber sido expuestos a lo mejor de la literatura peruana en las voces de Garcilaso de la Vega (bien llamado príncipe de los escritores del Nuevo Mundo), de Ricardo Palma y sus *Tradiciones peruanas*, César Vallejo con *Trilce* y *Los heraldos negros*, Mario Vargas Llosa y *La ciudad y los perros*, Alfredo Bryce Echenique y *Un mundo para Julius* y Julio Ramón Ribeyro con sus *Prosas apátridas,* entre otros escritores peruanos reconocidos a nivel mundial. Es decir, poseen un bagaje literario-cultural propio, enriquecido ahora por un activo intercambio cultural con otros inmigrantes latinos y la cultura anglosajona.

Los autores que integran la antología *Lo que tenemos en común* comparten la experiencia del inmigrante y esto les da una nueva perspectiva, una nueva visión de la realidad que dejaron y de la que ahora viven. El Perú es visto a la lejanía y también sus vivencias en los Estados Unidos dadas las diferencias culturales. Esta visión desde la distancia, real o imaginada, tan esencial para el escritor, va acompañada, sin duda, por la nostalgia: se añora, se ensalza y explora en la memoria eso que ya no existe; se carga pues una mochila imposible de llenar y que a estos escritores les urge saturarla con sus escritos de ficción y memoria.

Lo que tenemos en común, es un triunfo de mentes peruanas que habiendo enfrentado la realidad del inmigrante lograron reinventarse y en el camino hacia esa reestructuración interior supieron encontrar la originalidad de percibir el mundo desde una perspectiva única, trasladando luego esas experiencias al papel.

Dada la diversidad de temas, estilos y extensión de las narraciones que presentamos en *Lo que tenemos en común*, hemos agrupado los treinta y dos relatos en dos grandes bloques con la finalidad de ayudar al lector a acceder a los textos según sus preferencias. Cada grupo está ordenado en orden alfabético. En el bloque titulado Ficción en su salsa encontramos a: Alberto Caballero (La Libertad, Virginia), Alfredo M. Del Arroyo (Lima, Virginia), Luis Fernández-Zavala, Ph.D. (Callao, New México), Ani Palacios (Lima, Ohio), Rina Soldevilla (Junín, New York), Ricardo Vacca-Rodríguez (Callao, New York). En la otra agrupación, titulada En rescate de la memoria, encontramos a: Martín Balarezo García (Lima, Florida), Jerry Gomez Shor Jr. (Lima, California), Fernando Salmerón (Arequipa, Texas), Ulises San Juan (Cuzco, Ohio), Rocío Uchofen (Lima, New York) y Julio Jesús Zelaya Simbrón (Lima, New Jersey).

Es un honor poner en sus manos esta edición, agradeciendo a cada uno de los autores por su confianza y participación, y especialmente a Alfredo M. Del Arroyo y a Ricardo Vacca-Rodríguez por su trabajo de compilación y coordinación en este proyecto, así como al doctor Luis Fernández-Zavala, Ph.D. por su singular colaboración.

Pukiyari Editores

Ficción en su salsa

Alberto Caballero

Alfredo M. Del Arroyo

Luis Fernández-Zavala, Ph.D.

Ani Palacios

Rina Soldevilla

Ricardo Vacca-Rodríguez

Alberto Caballero nació en Trujillo, Perú, reside en Virginia. Estudió Ingeniería Eléctrica en la Universidad Nacional de Ingeniería (Lima, Perú) y una Maestría en Administración en ESAN (Lima, Perú).

Ha publicado *El esperado* (Palibrio, 2012), novela corta de ficción con algunos rasgos del género fantástico; *Del recodo del camino* (Palibrio, 2012), colección de cincuenta historias al estilo de parábolas; *Acto reflejo y otros relatos* (Pukiyari Editores, 2017), una colección de dieciséis cuentos insólitos, que recibió mención honrosa (tercer lugar) en la categoría mejor ficción popular del International Latino Book Awards 2018; y *La sombra del estiómeno y otros cuentos*, una antología de once relatos que conjuran historias tan fantásticas como improbables, el cual recibió el premio internacional de relato de Latin Heritage Foundation 2011 (Primera Edición: Latin Heritage Foundation, 2012. Segunda edición: Pukiyari Editores, 2017). Integra el Círculo Literario Letras Vivas de Virginia.

Se le puede contactar en: <u>malbertocaballero@hotmail.com</u>

El blanco de sus ojos
Alberto Caballero

Si acaso no hubiera insistido no habría tomado esa fotografía. Pero por suerte seguí mi instinto. Como me restaba menos de tres horas para tomar el vuelo de regreso a casa, pensé que tendría tiempo para una más.

En tanto avanzaba entre montículos y baches sobre un terreno inhóspito de ese país africano, cerca del campamento de alimentos de las Naciones Unidas, no perdía la esperanza de encontrar algo bello, impactante, y, sobre todo, que justificara mi viaje; no quería perder el menor detalle de lo que ese rincón del mundo me ofrecía, aunque, no lo niego, casi me di por vencido. Así como me encontraba expectante de cada paisaje, de cada colina, de cada choza, de cada hombre, mujer, niño o de cualquier situación que impresionara mis sentidos, también recordaba a mi familia. Al día siguiente cumpliría años y mi esposa, en Great Falls, Virginia, me esperaba ansiosa porque me confió, días atrás, que había organizado un banquete en mi honor.

—Asistirán algunos personajes influyentes —me dijo.

Seguí avanzando y a lo lejos, hacia occidente, distinguí cuatro puntos todavía informes. Como desde el comienzo llamaron mi atención, y creo que, como dije, fue por mi instinto, viré hacia allá y aceleré tanto como pude hasta distinguir a uno de ellos, a un vehículo, y a los otros tres como unos cuerpos todavía imperceptibles. Uno de esos cuerpos se desplazó hacia un lado, agitó lo que me pareció ser un brazo y tras moverse en su mismo sitio esperó unos segundos, como queriendo intimidar a otro, o eso es lo que me pareció. Advertí, más cerca, que al que vi moverse era un hombre, y entonces me di el susto de mi vida. Una loma empedrada, que no logré evitar, hizo saltar al vehículo con tanta brusquedad que si no me hubiera aferrado del timón a tiempo me habría volcado. Luego de controlar el vehículo volví la vista y observé que ese hombre ya había subido en el suyo y se marchaba dejando a su paso una estela de polvo.

Justo en ese instante advertí, con toda nitidez, sobre un terreno baldío, una escena mejor de la que podía haberme imaginado. No quisiera decir que me alegré, pero enfrente, a unas decenas de metros, se encontraba la mejor de las vistas que a fotógrafo alguno jamás podría habérsele presentado.

Uno de los cuerpos, no aquel que ese hombre había tratado de intimidar, sino el otro, el que se encontraba delante, era una niña de unos cuatro o cinco años, desnuda, esquelética, lánguida y moribunda. Gateaba con lentitud.

Observé el entorno y de inmediato deduje lo que sucedió minutos antes.

Luego de acercarme a una distancia apropiada, descendí del vehículo con una mochila entre mis manos, la coloqué sobre el suelo y extraje de ella mi máquina fotográfica. Sentí algo de incomodidad, pero al instante pensé en Great Falls y en mi esposa.

Avancé unos pasos y cuando buscaba el ángulo adecuado me topé con los ojos de la pequeña. Parecían medio dormidos, como sin vida. Eran negros y grandes. Tal vez por eso se apreciaba con claridad, en cada uno, el blanco de la esclerótica. La niña se limitaba a observarme sin balbucear palabra alguna. Así que me detuve y la observé, y a lo que había detrás de ella, y percibí un silencio como de muerte, cortado sólo por algunas ráfagas de viento que serpenteaban y levantaban del suelo algunos remolinos fugaces.

Tal vez me sobrecogí o tal vez no, casi no lo recuerdo porque en ese momento me encontraba emocionado, pero reaccioné y creo que a tiempo. Corrí a mi izquierda y trastabillé.

Esos ojos, pensé. *Esos ojos todavía tienen vida.*

Recuerdo que desde el fondo de mi alma surgió una sensación de emoción por lo que iba a hacer y una sombra de culpabilidad por lo que debería hacer, pero estaba preparado para esas contingencias. Mi profesión me había enseñado cómo sobrevivir hasta en las peores adversidades.

La pequeña cerró los ojos y dejó caer su cabeza hasta casi rozar el suelo. Por un segundo pensé en ayudarla. Pero fue un solitario segundo.

—Ya no hay tiempo —murmuré.

Si la llevaba al campamento perdía el vuelo. Luego de pensarlo mejor, me pareció conveniente sólo informar por teléfono desde el aeropuerto.

De inmediato apunté con la cámara, disparé y me mantuve inmóvil contemplando la vista que me ofrecía la buena suerte. No pude evitarlo. No podía evitarlo. Más que en la cámara, esa imagen se fijó en mi retina. Enseguida guardé la máquina en la mochila, pero sin cerrarla, y con ella me dirigí rápido al vehículo y subí.

Me senté como aliviando mi cuerpo y tras cerrar los ojos cansados los presioné con las yemas de los dedos. Aunque me sentí satisfecho, dudé por un instante, así que al voltear me encontré de nuevo con los ojos semidormidos de la pequeña que apenas se arrastraba sobre el suelo, pero me sobrepuse de inmediato.

—Sobrevivirás —murmuré—. Sí —me repetí a mí mismo—. Sobrevivirás.

Y contemplé, por última vez, la mejor de las vistas que a fotógrafo alguno podría habérsele presentado nunca: un buitre, unos metros detrás de la pequeña, como indiferente, esperaba que su presa dejara de existir.

Entre barbas
Alberto Caballero

—Te amo —dijo el hombre de facciones robustas y barba mediana.

—¿Cómo puedes amarme? —respondió la mujer barbuda—. Soy pequeña y rechoncha.

El hombre llevó ambas manos hacia el rostro de la mujer y resbaló los dedos por la barba frondosa. Una, dos y varias veces.

—No me importa. Sólo sé que te amo —le dijo mirando el rostro hirsuto.

—Soy fea.

—Te veo hermosa.

Luego, la rodeó con sus brazos largos y musculosos, la atrajo hacia él y la apretó contra su cuerpo. A pesar de que el hombre le llevaba como dos cabezas, se inclinó y besó a la mujer. Ella lo aceptó; también abrazó al hombre con sus brazos cortos y flácidos. Fue un beso suave pero incómodo. Entonces, el hombre se arrodilló e igualaron en tamaño. Y el segundo beso fue apasionado.

Y el hombre, como por instinto, se rascó el borde de la boca al tiempo que percibía un rechazo sutil. No le dio importancia. Besó a la mujer en la mejilla derecha y desde ahí deslizó los labios, lento, suave, a lo largo de la barba, y de vez en cuando sacaba la lengua o apretaba con los labios un manojo de vellos, como si estuviera disfrutando del manjar más exquisito que hubiera saboreado en la vida.

—Luzco como hombre —dijo la mujer barbuda.

Y el hombre percibió que un temblorcillo invadía su cuerpo robusto.

—Te amo —respondió en tono sincero.

Cambio de condición
Alberto Caballero

Presumo que mi nombre ha quedado grabado en el recuerdo de muchas personas. Soy León Suárez, el testigo del caso del ingeniero acaecido un año atrás. Como el proceso fue bastante difundido, la gente que lo siguió de cerca recordará todavía que el motivo fue el celo profesional. Sin embargo, ahora debo confesar que no fue del todo cierto. No se ventilaron algunos detalles porque, en mi opinión, carecían de la más mínima importancia.

Dos meses después de haber egresado de la universidad, y días antes de aquel suceso, llegué a la organización un lunes por la mañana. Era una dependencia del Gobierno en la ciudad de Ch. Me recibió el gerente de obras, un hombre alto y grueso. Luego de explicarme en forma breve las características del trabajo, por el interno ordenó a su secretaria que llamara a un tal ingeniero Camacho.

Minutos después, un hombre de unos treinta y cinco años, de baja estatura y cara redonda, ingresó a la oficina sin llamar a la puerta.

—El ingeniero León Suárez se incorpora desde hoy a nuestra organización —le dijo—. Le agradeceré lo conduzca a la oficina que ha dejado el ingeniero Estuardo López. El encargado de las obras eléctricas es el ingeniero Palacios, a quien usted dará cuenta de su trabajo —se dirigió luego hacia mí—. El ingeniero Estuardo López renunció hace una semana, de manera que a usted se le ha asignado ocupar ese cargo.

Y me animé. Recuerdo que me animé. Ya sabía cuál sería mi trabajo. Sólo faltaba conocer mi primera oficina.

—Otra cosa... —esbozó una sonrisa y torció la boca—. Tenga cuidado con el ingeniero Palacios... —Y colocándose el dedo índice en la sien hizo unos movimientos circulares—. Parece haber perdido algunos tornillos —sentenció.

Fue la primera señal, pero no seguí el consejo. El ingeniero Camacho no sonrió. Tampoco dijo nada. Su advertencia no era broma. Me sentí incómodo. Escuché un fondo musical de violines. Los violines de Lima en una melodía suave y mustia. Nos despedimos.

A lo largo de nuestro recorrido mi acompañante me iba mostrando el edificio, pero yo no prestaba atención.

—¿Es verdad que el ingeniero Palacios se encuentra mal de la cabeza? —pregunté sin pensar en lo poco apropiado de inquirir acerca de mi nuevo jefe.

—Es algo raro. ¿Eres ingeniero electricista? —contestó sin dar detalles.

—Sí. ¿Y tú? —opté por no insistir.

—No. Soy ingeniero civil, pero me encuentro apoyando al ingeniero Palacios en la liquidación de una obra.

Llegamos a la que sería mi oficina. Era estrecha y sencilla, por no decir deslucida; además, como carecía de aire acondicionado, el calor era sofocante; estaba amueblada con cuatro sillas de madera, dos sillones giratorios, dos escritorios metálicos plomizos frente a frente y, al fondo, del mismo material y color, un archivador vertical de algo de metro y medio de altura. Entre éste y el más grande de los escritorios se perfilaba una ventana de doble hoja a través de la que se podía apreciar el campo verde poblado de flores amarillas, rojas y violetas. Un poco más allá, dando la impresión de encontrarnos en medio del bosque, se alzaban los eucaliptos que subían y bajaban hasta un riachuelo al fondo del valle. Tras acercarse a la ventana, el ingeniero Camacho deslizó un cerrojo y la abrió, y el aire fresco con aroma a campo y a eucalipto envolvió el ambiente.

—Ese es tu escritorio —me indicó señalando al más pequeño, al de la derecha, y me entregó un ejemplar del proyecto de una obra en proceso de liquidación—. Toma, ve familiarizándote con este expediente técnico.

—¿Y el ingeniero Palacios? —pregunté.

—Se encuentra en comisión de servicios. Regresa mañana. ¿Tu primer trabajo?

—Sí.

—Entiendo —me dio una palmadita en el hombro—. No te preocupes, es un trabajo sencillo.

2

Al día siguiente llegué a la oficina cinco minutos tarde. El ingeniero Palacios ya se encontraba sentado sobre su sillón y escondido entre algunos papeles, o daba esa impresión. Su vestimenta lucía arrugada y un extremo del cuello de la camisa se encontraba metido hacia adentro. Era delgado y de talla mediana. Desde su misma posición me ofreció la mano y yo le correspondí. La sentí algo floja. Me invitó a sentarme. Lo hice en mi sitio y esperé. Sus ojos negros, pequeños y saltones, parecían estar ocupados en escudriñar algo que mantenía entre las manos. Observé que ahí no había nada, pero frotaba los dedos índices con sus correspondientes pulgares como si tratara de quitarse algo adherido a la piel. Luego, como si le pesara la lengua, y sin desviar el interés en sus dedos, comentó algo a propósito del trabajo y me sugirió que debía continuar leyendo la misma documentación técnica que el día anterior yo había dejado a la vista sobre mi escritorio. Tomé el expediente y lo abrí.

—¿Eres amigo del gerente? —me preguntó sin inmutarse.

—No —contesté.

—¿Y de Jaime López?

—No lo conozco.

—¿Sabes por qué renunció Estuardo López?

—No.

—¿Sabes que son hermanos?

—No.

—¿Eres de Lima?

—No. De Trujillo.

—Trujillo es una ciudad hermosa.

—Sí. Es hermosa.

—Los trujillanos son buenas personas. ¿Sabes que la mayoría de los ingenieros que trabajan en la organización vienen de Lima?

—No lo sabía.

—Ten cuidado con ellos.

Acto seguido continuó con su labor, como si estuviera solo. Yo traté de concentrarme en la lectura, pero de vez en cuando levantaba la vista y lo observaba con disimulo. Empecé a transpirar. Advertí que la ventana se encontraba cerrada, de modo que me levanté y la abrí. El ingeniero Palacios no se inmutó. Supuse que también se sentía sofocado.

A pesar de que aparentaba estar atareado, noté todo lo contrario. Sobre su escritorio, si mi memoria no me falla, se encontraban esparcidos entre diez a doce documentos a los que les dedicó el resto del día sumido en la tarea de releerlos. Eso fue todo lo que hizo, además de frotarse los dedos.

Uno de esos documentos era una valorización de avance de la obra cuyo expediente técnico de replanteo me encontraba revisando. Lo recuerdo porque al día siguiente, el miércoles, a primera hora, con copia de ese mismo documento dos representantes del contratista que la ejecutó justificaban los cálculos monetarios. Yo, desde mi sitio, observaba sin moverme. Las partes se encontraban frente a frente: el ingeniero Palacios sentado sobre su sillón, como replegado, miraba hacia los lados o hacia abajo, pero no a los representantes; y éstos, al otro lado del escritorio, se esforzaban por dominar el escenario; y daba la impresión de que lo estaban consiguiendo, excepto, a mi modo de ver, por la reacción oportuna. Por los golpecillos.

Se respiraba aire pesado. Observé que la ventana se encontraba cerrada. Intenté abrirla, pero el ingeniero Palacios, con una mirada furtiva y un movimiento negativo y casi imperceptible de su cabeza, me insinuó que no lo hiciera al tiempo que separaba los dedos índices unos quince centímetros uno del otro con los que golpeó el filo del escritorio. Fue un golpe suave. Luego dio otro, y otro más, y un cuarto. Los golpecillos llegaban a intervalos de unos cinco segundos. Parecían no tener fin. Los visitantes, sin dejar de hablar, se miraban entre ellos y se hacían gestos. Minutos después terminaron con sus argumentos y esperaron en silencio. Yo también esperé.

El ingeniero Palacios, en tanto, continuaba con el mismo movimiento, agitaba el rostro a ambos lados o me miraba, pero no a ellos, de modo que sólo se escuchaba, pero más rápido, los golpecillos que hacían recordar a los de un tambor solitario. Yo transpiraba. No debió transcurrir más de treinta segundos cuando de pronto el ingeniero Palacios, lejos de responder, separó los dedos índices en algo de cuarenta centímetros uno del otro y los golpeó en el escritorio con mayor contundencia. Fue un golpe seco. Como de huesos. Y tras levantar la vista y agrandar los ojos se acercó a sus interlocutores y les dijo en voz alta, de frente, casi en sus caras:

—¡Con una de este tamaño les voy a pagar!

Yo me sorprendí. Ante tal alusión, ambos representantes se levantaron y antes de retirarse con los rostros desencajados uno de ellos me dijo, señalándolo con el dedo pulgar, que el ingeniero era un malcriado o estaba loco de remate. Y no era para menos.

—Son sus socios —me dijo el ingeniero Palacios cuando ya nos encontrábamos solos.

En ese instante no entendí que se refería al gerente y a Jaime López, y tampoco pregunté, pero percibí en sus palabras un tono irónico.

—También son limeñitos, como ellos —murmuró.

Pasadas las nueve de la mañana, el ingeniero Palacios inició otra rutina, pero no tan extraña como la de esa tarde. Se levantaba del asiento, se dirigía al archivador, tomaba cualquier libro o documentación técnica, lo hojeaba durante unos minutos y por último regresaba a su asiento. En cada ida y en cada vuelta se detenía enfrente de la ventana, daba la impresión que para reírse de algo que él veía afuera, en el jardín, y que le causaba gracia. Esa rutina la repitió tantas veces como el tiempo se lo permitió hasta que entré en sospecha. Como a las once comprobé que en la dirección hacia donde él miraba no había nada ni nadie que pareciera gracioso.

Por la tarde, y después de almorzar, regresé a la oficina a eso de la una y lo encontré en su sitio, contemplando un lapicero que sostenía entre los dedos y al que hacía girar con bastante lentitud. Sobre su escritorio, al lado izquierdo, descansaban una manzana roja recién empezada y una navaja de cacha negra. No le di la menor importancia y continué con mi lectura. No obstante, pasaron diez, veinte minutos, una, dos horas y no cambiaba de postura. Yo, al otro lado, fingía leer con interés, pero en realidad no lograba concentrarme. Esperé atento hasta las cinco, la hora de salida, así que, sin despedirme, abandoné la oficina dejando a mi compañero en la misma posición en que lo había encontrado a la una.

Esa noche me fue difícil conciliar el sueño.

3

Recuerdo que rogué para que no llegase el jueves, pero el jueves llegó a la hora que debía llegar. Quien no llegó fue el ingeniero Palacios.

A primera hora de la mañana nos visitó una comisión de San Jacinto integrada por dos personas. Necesitaban los servicios de mi compañero para que revisara un grupo electrógeno que se encontraba defectuoso. Dos horas después, y al ver que el ingeniero no aparecía, prometieron regresar al día siguiente.

Por la tarde conocí a Jaime López. Llegó como a las dos. Era algunos años mayor que yo, un poco alto, grueso de cuerpo y de cachetes amplios. Después de ofrecerme su ayuda me advirtió que tuviera cuidado con el ingeniero Palacios.

Al poco rato, otro ingeniero residente, Raúl Rivas, ingresó sonriente y nos saludó, primero con la mano en alto y después estrechando las nuestras. Rivas tenía ojos grandes y expresivos, aparentaba mi edad y era algo más bajo que Jaime López.

—¿Recién por acá? —me preguntó después de presentarse.

—Sí —contesté—. Desde el lunes.

—¿Y con el ingeniero Palacios? —Sonrió secundado por Jaime López.

—Sí.

—Debes andar con cuidado —me advirtió.

—¿Creen que esté algo chiflado? —pregunté.

—Por supuesto —se apresuró a confirmar López —. Tiene muchas anécdotas. Como para no creer. Hace tres años se encontraba de comisión de servicios en la ciudad de Trujillo y de un momento a otro desapareció. Con ayuda de la policía lo buscaron durante dos días; lo encontraron como un mendigo durmiendo en un parque. Dicen que no recordaba nada. —Y sonrió—. Está loco de remate.

— ¿Tienes algo para mañana viernes por la noche? —cortó Raúl Rivas.

—No.

—Queremos darte la bienvenida. Se ha hecho costumbre entre nosotros.

—Qué bien.

—Si no tienes problemas, ¿puedo recogerte a eso de las siete?

—Entonces te espero a eso de las siete.

Y se despidieron.

4

El viernes por la mañana fue memorable.

El ingeniero Palacios partió a San Jacinto con la comisión de esa localidad. En el camino sufrió un ataque de risa incontrolable. El conductor del vehículo en el que viajaban tuvo que desviar la ruta hacia el hospital. Ahí le dieron de alta al día siguiente, como si no hubiera ocurrido nada.

Por la noche, minutos antes de las siete, me recogió Raúl Rivas. Nos dirigimos al centro de la ciudad. Llegamos a un restaurante bastante concurrido: El Huascarán. Alrededor de una mesa esperaban diez personas. El gerente se hallaba sentado en la cabecera y a su derecha Jaime López; éste decía algo al oído del otro. El ingeniero Camacho se había ubicado al otro extremo. A los demás todavía no los conocía, pero a partir de esa reunión tomé confianza con cada uno de ellos.

Cuando nos acercábamos se levantaron y me recibieron sonrientes. Había un sitio vacío a la izquierda de la cabecera en donde me invitaron a sentarme. El gerente procedió con las presentaciones y luego dijo algunas palabras alusivas a mi llegada.

Todavía no se borra de mi mente una frase motivadora: *"Cuando la suerte les sea adversa, no renuncien y continúen intentando"*. La Gerencia de Obras estaba formada por doce ingenieros residentes, de modo que todos nos encontrábamos ahí, excepto el ingeniero Palacios. Tuve la imprudencia de preguntar el motivo. Todos rieron.

—Desentona —contestó el gerente.

Yo reí con ellos.

Fue una reunión amena. Comimos y bebimos y hablamos de muchas cosas. En una sola noche asimilé lo que debía aprender en más de un mes. Creo que asistí a una de las mejores terapias. Al principio, el grupo me pareció homogéneo, pero, después de observarlos, comprendí que no era cierto. A pesar de que se notaba el liderazgo del gerente, al ingeniero Camacho y a otros dos les hacía poca gracia, en especial, cuando mostraba cierto aspaviento acerca de algunas de sus experiencias. En cambio, Jaime López celebraba cualquiera de sus intervenciones. Raúl Rivas y los otros eran más diplomáticos, se mantenían como neutrales. En un momento, y a pesar de su ausencia, el eje de la conversación fue el ingeniero Palacios. No se salvó ni el cuello de su camisa.

5

El lunes, con más confianza, llegué a la oficina. El ingeniero Palacios leía unos papeles. Tras saludarlo me senté.

—¿Cómo vas con la lectura? —preguntó en tono formal.

—Bien.

Durante el resto de la mañana no sucedió nada relevante.

Por la tarde, al regresar a la una, lo encontré comiendo una manzana roja. La partía con la navaja de cacha negra, con lentitud, como si fuera dueño del tiempo. Desde mi sitio escuchaba el tajo y luego el sonido de su boca triturando el pedazo que tenía dentro.

—¿Crees que estoy loco? —preguntó de improviso.

Sentí como si me hubiera lanzado la navaja. No supe qué responder. Levanté la vista. Él me observaba. Sus ojos parecían más saltones. En la mano izquierda mantenía la manzana y en la derecha la navaja.

—No lo creo —mentí.

—Todos en la organización creen que estoy loco.

—No lo creo.

—Eres electricista como yo, y trujillano. Pareces buena persona.

Sonreí. Él se mantuvo en silencio durante varios minutos.

—¿Crees que existe vida en otros planetas?

Qué tenía que ver esa pregunta con su locura, pensé.

—Creo que sí —contesté creyendo que esa era la respuesta que él quería escuchar.

—Y es verdad. Hay uno ubicado en una galaxia lejana. Están mucho más adelantados que nosotros. Ahí también viven en núcleos familiares. Conozco a una de esas familias.

Otra vez silencio.

—Los padres han obsequiado a sus hijos adolescentes un juguete al que suelen llamar Intercer.

Sonreí por dentro.

—Es el medio para contactarse con un objetivo —continuó—. Ese juguete emite ondas similares a las electromagnéticas, pero a la velocidad del pensamiento y ajustables a la misma amplitud y frecuencia que las cerebrales de su objetivo.

Tomé la documentación técnica y me dispuse a leer.

—Así, convierten a su objetivo en receptor y emisor, y desde donde las ondas regresan con nueva información para reflejarse en una pantalla tridimensional —siguió—. A través de esa pantalla, ellos pueden hablar y observar a su objetivo y ver y escuchar, en el mismo instante, lo que ven y escuchan los ojos y oídos al otro lado del universo. El juego consiste, además, en que con ese juguete los muchachos pueden interferir y controlar las ondas cerebrales y manipular el comportamiento del sujeto.

Hizo una pausa, como esperando algún comentario, pero preferí no decir nada. Observé que la mano derecha sujetaba la navaja con más fuerza e intuí, también a través de los brazos rígidos, que luchaba por controlar su estado de ansiedad.

—Ese objetivo soy yo —continuó—. Soy su prisionero. En tanto hago lo que ellos quieran no tengo problemas, por eso, cuando lo hago, la gente cree que estoy loco.

Me observó con el rabillo del ojo, pero tampoco dije nada.

—Es verdad —dijo en tono alto.

—¿Dices que esos extraterrestres ven y escuchan lo que tú ves y escuchas, y en el mismo instante, como si fueras una cámara filmadora? —pregunté curioso.

—Como si fuera un robot a control remoto.

—¿Y también te observan y hablan contigo?

—Como si tuvieran una cámara sobre mi cabeza.

—¿Ellos te obligaron a mantener un lapicero durante toda una tarde? —pregunté para seguirle el juego.

—Así fue. Ellos me obligan a hacer muchas cosas.

—¿Hicieron que te perdieras en la ciudad de Trujillo durante dos días?

—Es verdad. Hicieron contacto conmigo un martes por la tarde poco después de haber almorzado. Les dije que en ese momento me dirigía a una reunión de trabajo e insistí en que me dejaran, pero ellos querían jugar. Se molestaron conmigo e hicieron que perdiera la noción de mi conciencia. Durante esos dos días había olvidado quién era y dónde me encontraba y me rebanaba los sesos tratando de recordar algo, así que deambulé por las calles con ese propósito hasta que el cansancio me venció.

Luego me observó de lado, con un ojo, como esperando mi aprobación. Yo desvié la vista.

—¿Y acerca del ataque de risa del último viernes?

—Ellos me hicieron reír. Suelen ser bromistas.

6

Al día siguiente, el martes, el ingeniero Palacios no asistió al trabajo. Por la tarde tuve la visita de Jaime López y Raúl Rivas. Me preguntaron que cómo me iba con el ingeniero Palacios. Les contesté que me parecía que bien y que el día anterior había conversado conmigo.

—Pero fíjate. Si ya conversan —celebró Jaime López.

Y les referí la historia de los extraterrestres y el juego intergaláctico y el control cerebral y la manipulación de personalidad. Reímos toda la tarde. Jaime López fue quien más lo festejó. No paraba de reír. Raúl Rivas, en cambio, demostraba un comportamiento más discreto. Reía, pero sin escándalo. Una semana y ya me sentía como en mi casa.

El miércoles por la mañana me hizo recordar al del último lunes por la tarde, pero con una variante: el ingeniero Palacios me observaba. No me quitaba la mirada de encima. Como a las nueve inició el diálogo.

—¿Qué crees acerca de nuestra conversación del lunes? ¿Crees que son alucinaciones?

—No lo creo. Pero debes encontrar la manera de deshacerte de esos seres o todos pensarán que estás loco —le seguí la corriente.

—Lo he intentado muchas veces.

—No debes darte por vencido. Encontrarás la manera.

—Ellos dicen que hay una sola manera, pero no les creo.

Entonces recordé la frase motivadora que el gerente pronunció en la fiesta a propósito de mi bienvenida, y pensé que podría ser propicia.

—No renuncies al intento. Quizá es verdad. —Y sonreí por dentro.

—¿Tú crees?

—Por supuesto. No pierdes nada con intentarlo.

No contestó. Se mantuvo en silencio pero sin dejar de contemplarme. Yo intentaba leer unos planos que tenía desplegados sobre el escritorio.

—¿Sabes que cuando te miro ellos te observan?

—Lo dijiste el lunes. Ellos escuchan y ven a través de ti.

—Es cierto, pero debes saber que ellos te están observando.

No respondí, pero a pesar de que tampoco dejé de sonreír por dentro, sentí una sensación extraña, de incomodidad, como si en realidad alguien más me estuviera observando.

El resto de la mañana no intercambiamos ninguna otra palabra.

Y ocurrió después del almuerzo.

Yo, en mi escritorio, revisaba unas valorizaciones antiguas y el ingeniero Palacios, en el suyo, comía la manzana de la tarde. Era roja, como las anteriores. La partía con la navaja de cacha negra, con parsimonia, como siguiendo un ritual. Desde mi sitio escuchaba, uno tras otro, el mismo tajo y el mismo sonido de su boca al triturar un trozo.

Fue cuando Jaime López irrumpió en la oficina. Yo volteé, pero no así el ingeniero Palacios.

—Hola, León —me saludó mientras se sentaba en una silla, al otro lado de mi escritorio, dando la espalda a mi compañero.

A él no lo saludó. Impasible, el ingeniero Palacios continuaba cortando la manzana con la navaja de cacha negra.

Jaime López parecía animado. Me plantó una sonrisa burlona mientras sacaba un pañuelo azul con el que se limpió la cara.

—Así que de juguetes intergalácticos se trataba, ¿verdad? —riéndose dijo en voz alta.

Me quedé paralizado. Entonces, vuelto el ingeniero Palacios, me miró de frente.

El rostro me quemaba.

—Así que controlado por unos marcianitos, ¿no?

Intenté levantarme, pero Jaime López me hizo un ademán con la mano. Yo le contesté de la misma forma. Esperaba detenerlo.

—No te preocupes —dijo en voz alta—. Es cobarde y manipulable.

Escuché un tajo y luego el triturar de otro pedazo de manzana.

—Si hasta los marcianitos lo manipulan, y no puede hacer nada por liberarse porque es un cobarde, ¿no lo ves? —Golpeó el escritorio con ambas manos y soltó una carcajada.

—¡De película!

Otro tajo.

—¿Sabes que algunas valorizaciones que se negaba a firmar las firmaba Estuardo?

—No lo sabía —respondí casi escondido detrás de mi escritorio.

—Es que está de adorno. No firma nada. Se hace el loco porque tiene miedo. Alucina con auditoría. ¿Sabes que amenazaba a Estuardo para que tampoco firmara nada? Por eso mi hermano renunció.

Jaime López se limpió la frente con el pañuelo azul.

—Pero ¡qué gracioso! ¿Sabes que la última valorización la firmé yo? A mí no me tiembla la mano. Si el gerente me pide que firme, ¡yo firmo! —Y golpeó otra vez sobre el escritorio.

El ingeniero Palacios volvió la vista hacia Jaime López. Sus ojos estaban dilatados, rojos. Por unos segundos pensé en advertir al visitante, pero dudé. ¿Qué podría suceder?

Entonces, Jaime López se despidió. Sin dejar de reír avanzó hacia la puerta. En el camino volteó guiñándome un ojo.

—¡No es más que un cobarde! —exclamó.

Pero Jaime López no había reparado en la intención de su oponente. No habría dado más de tres pasos cuando el ingeniero Palacios saltó con la navaja de cacha negra en la mano derecha. Fue un salto ágil.

—¡Cuidado! —grité.

Fue una advertencia tardía.

Con el brazo izquierdo el ingeniero Palacios rodeó el cuello de Jaime López y lo jaló con fuerza hacia atrás y con el derecho hizo un movimiento semicircular sobre su garganta, como cuando se siega con una hoz. Fue un tajo certero, raudo. Al comienzo Jaime López opuso resistencia, pero después los músculos se le aflojaron y se deslizó temblando, indefenso, entre los brazos de su adversario, y cayó de bruces sobre el piso. Escuché un gorgoteo al tiempo que sus piernas hacían un movimiento oscilante, sin ritmo, rápido, como si se estuviera electrocutando. Contemplé su cuello. La sangre le salía a borbotones.

Dándome la espalda, el ingeniero Palacios, con los brazos sueltos, inmóvil y sin decir nada, observaba al caído. En el piso, alrededor de la cabeza de Jaime López, se había formado un charco de sangre que avanzaba hacia la puerta. Comprendí que me encontraba atrapado. Para salir debía pasar sobre ellos. Volteé y advertí en la ventana abierta otra salida. Me preparé para correr y saltar, pero escuché un golpe y un lamento. Y volví.

El ingeniero Palacios, bañado en sangre desde la cara hasta los zapatos, había soltado la navaja y me observaba sollozando.

—Tenías razón —balbuceó—. Me acaban de liberar.

 **Alfredo M. Del Arroyo** nació en Lima y reside en el estado de Virginia. Periodista y guionista de TV.

Ha publicado *Del Pacífico al Atlántico: Cuentos desde la otra orilla* (Ediciones La Casa de Cartón, 2013) y *Martes de infamia y otros días fatales* (Pukiyari Editores, 2016) obteniendo con esta antología de cuentos cortos el primer lugar en Best Popular Fiction en el International Latino Book Awards 2017. El Consulado General del Perú en New Jersey le otorgó el Peruvian Award 2018 por ser el escritor peruano revelación de 2018. En Washington D.C. se le confirió el trofeo Gala Perú D.C. 2018 como el Mejor Promotor de la Cultura Peruana. Columnista del periódico *Prensa Libre* de Maryland, colaborador de la página web *Hola Cultura* (Washington D.C.), conductor del programa televisivo *Panorama Latino TV Show* (Virginia). Integra el Círculo Literario Letras Vivas, Virginia.

Se le puede contactar en: pittydel@gmail.com

Donantes involuntarios
Alfredo M. Del Arroyo

Vi el anuncio con una lista de números en el periódico mural situado en el pasillo del hospital donde laboro, en la ciudad de Reston, Virginia. Junto a él lucían orgullosas las fotos de mis compañeros de trabajo, a quienes conocía muy por encima. El pediatra del mes, el cardiólogo del mes, la enfermera del mes, los escogidos "mejor de lo mejor" en varias hileras de vanidad. Ellos no sabían de mi existencia. Me ignoraban cuando pasaban por mi lado, y a veces, por ser hispano, me miraban con cierta repugnancia. Yo era un peón más destinado al sacrificio en su tabla de ajedrez. Un cero bien grande, es decir, un cerote. Una nada y ellos un todo. Ellos, los estudiantes de medicina, los residentes y futuros eminentes doctores. Destinados a un futuro que, sin duda, los llevaría al éxito instantáneo. Yo, el jefe de mantenimiento del turno de la madrugada, la persona cuyo nombre nunca fue memorizado. El iletrado que los miraba aturdido cuando le dictaban órdenes a excesiva velocidad, en un inglés que sonaba inentendible. El inmigrante indocumentado, que a duras penas acabó el tercer grado de primaria en su país de origen, y a quien irremediablemente, se vieron forzados a dar el título de *maintenance manager*, ya que ninguno de los morenos afroamericanos aceptó coger ese horario.

*****

Pregunté a Byron, guatemalteco y jefe de cocina en la cafetería del Children's Hospital, qué significaban esos números en el periódico mural. Con secundaria completa, y cierto dominio del idioma que le dieron los años, Byron sí podía leer inglés, y aunque no a la perfección, hacía el esfuerzo por traducirme las palabras al español. Al poco rato se aburría ante mis preguntas insistentes. Yo le decía: «Te puedo hacer una pregunta». Y esa pregunta llevaba a una segunda, y luego a otra, a otra, y a otra, hasta colmar su paciencia. En fin, Byron me explicó que la Unidad de Trasplantes del hospital se trazaba una meta, y esa meta era expuesta en números en el periódico mural. Por ejemplo, me dijo:

—*Heart* significa corazón; entonces, la cifra de la izquierda es la meta que se han trazado, 727 pacientes con necesidad de un trasplante. Mientras que la de la derecha es la cantidad de donantes que han conseguido hasta el momento, solo 488 y ya estamos en septiembre. Veo muy difícil que lleguen a alcanzar la meta que se han propuesto para este año.

—Pero… —atiné a decir con temor—. ¿Para eso el donante no tiene que haber muerto primero?

—¡Si serás cerote Apolonio! Por supuesto que el donante tiene que estar muerto, ni modo que le quiten el corazón a un vivo; eso sería asesinato, hombre.

—Y esta otra cifra, la que está aquí, los números parecen estar más cercanos. —Señalé con el dedo hacia la siguiente línea del boletín.

—Sí, así es, los pacientes con necesidad de trasplante de *kidney*, o sea de riñón, son mayor en cantidad al igual que los donantes. La meta es 1800 y ya van por los 1746.

—¿Y tantos niños donantes de riñón se han muerto?

—No eres más mula por qué no rebuznas, güey. ¿Que no te enseñaron anatomía en la escuela? El ser humano tiene dos riñones, y basta con que tenga uno para vivir tranquilo el resto de su vida. —Me miró dándose ínfulas de superioridad por sus conocimientos.

*****

A los pocos días, me paré nuevamente a observar la lista en el periódico mural. Mi turno de ocho horas empezaba a las once de la noche, y, añadiendo la hora de refrigerio, terminaba a las ocho de la mañana. Noté que la lista de números positivos aumentó, mientras que la de negativos disminuyó. Entonces observé una presencia a mi lado reflejada en el vidrio.

—Hola, ¿te interesa ser donante? —me dijo la gringa con un español con fuerte acento, pero bien pronunciado.

—Pero ¿esta lista no es solo para niños?

—Los adultos también pueden donar. Solo tienes que inscribirte.

—Eso de que le saquen un riñón a uno está cabrón.

—La recuperación es rápida, y podrás vivir una vida normal con un solo riñón. Además, así ayudas a salvar la vida de una persona, y obtener una buena recompensa.

—¿Y de cuánto dinero estamos hablando?

—Pues, si eres una persona saludable, hasta de diez mil dólares.

—¡Por la gran púchica! ¿Tanto dinero?

—Sí —afirmó sonriente la gringa—. ¿Tienes hijos?

—Tengo cuatro hijos, pero están con su mamá en El Salvador.

Y entonces la gringa, al ver mis ojos encendidos de admiración y codicia, me habló de los sacrificios que hacen los padres de niños enfermos del riñón. Venden sus posesiones más preciadas, casas, autos y joyas, para ver a sus hijos sanos y llenos de vida. «Piénsalo y me llamas», me dijo al entregarme su tarjeta de negocios y el anuncio de un festival pro donación de órganos que se realizaría en una ciudad de Maryland.

*****

—María, ¿y cómo están los cipotes? —pregunté a mi mujer del otro lado del auricular.

—Las niñas y el Ezequiel están bien, el que me preocupa es el Elvis, se está empezando a juntar con unos muchachos que andan metidos en las maras.

—¿Y qué del dinero que te mandé?

—Aquí lo tengo, no lo he tocado. El coyote me dice que con mil dólares más, ya tenemos para mandar dos de los niños cruzando por El Paso.

—Entonces, con lo que junté la quincena pasada, más lo que cobro este viernes, completo los mil para que vengan Elvis y Elenita.

—Vaya pues, ahí me avisás cuando hayás mandado el dinero.

*****

Vamos por la carretera 495 con Byron al volante rumbo a Silver Spring. Parqueamos en una playa de estacionamiento de varios niveles. La comparsa de la banda El Pulgarcito de América acaba de terminar de desfilar. Y los muchachos de un grupo musical, con nombre de trago japonés, se preparan para cantar sus éxitos de cumbia rock. Entonces veo a la gringa del hospital, con una colorida camiseta amarilla bajo el toldo de un quiosco que tiene un vistoso cartel que dice: *"Done vida"*. Me sorprende saludándome por mi nombre. Lo tenía memorizado. Le sonrío, y me invita a firmar en la lista de futuros donantes. Byron me sugiere que no lo haga, pero la gringa insiste, y me dejo llevar, soñando despierto con los diez mil dólares. Con letra defectuosa escribo mi nombre: Apolonio Marquina. La gringa me regala una camiseta amarilla, con la imagen del sol naciente y letras azul marino, y me lleva a un lado, lejos de Byron, mientras los cumbiamberos rockeros cantan *"crimen y castigo dejó tu corazón"*.

—Me gustaría hablar contigo sobre una propuesta que te podría interesar —me indica la gringa—. ¿Cuándo tendrás tiempo para platicar?

—Bueno, como yo trabajo por las noches, podría ser uno de estos días en la tarde.

—Yo tengo que ir al hospital el martes. ¿Te parece bien si nos encontramos en la cafetería al mediodía?

—Vaya pues, ahí nos vemos entonces —le contesto, y nos despedimos con un apretón de manos. *"Ama donde quieras mamá, reza por los dos"*, gritaba el cantante sobre la tarima, mientras unos niños con pequeñas pancartas que decían *"do-na-te li-fe"* jugaban correteando tras una pelota de fútbol sobre el asfalto de la plaza.

—¿Y eso qué significa? —pregunté a Byron.

—*Doneit laif,* significa done vida —me contestó.

*****

Nos encontramos aquel martes en la cafetería del hospital. Llegó puntual como todos los gringos. Se despidió de una mujer, de apariencia centroamericana, que llevaba a dos niños recién dados de alta. Ambos se tomaban la espalda con ciertos signos de molestia. Me propuso ir a otro lugar e invitarme a almorzar. «¿Deseas comer pupusas?», preguntó. Contesté en afirmativo, y enrumbamos hacia Arlington en su carro Lexus rojo sangre, con asientos forrados en cuero color crema.

Mientras manejaba por la ruta 267, me contó sobre la fundación sin fines de lucro que dirigía. Los auspiciadores, gente pudiente, generalmente tenían algún familiar o amistad que, en momentos pasados o presentes de sus vidas, necesitaron un donante. Preguntó por mis hijos. Me inspiró confianza, y le conté que dos de ellos pronto vendrían cruzando la frontera. Que me urgía el dinero de la venta de uno de mis riñones para traer a uno más de mis hijos, y que, más adelante, con el dinero ahorrado de mi trabajo en el hospital, traería a mi esposa y a Anita, mi hija más pequeña.

Tomó la ruta 66 y luego salió por el *exit* de la Washington Boulevard rumbo a Seven Corners. Dejamos de hablar por unos minutos, y al momento de llegar a la Columbia Pike, rompió el silencio:

—Sabes, la recompensa por el riñón de un niño es mucho mayor —dijo fijando su mirada en mí para ver mi reacción—. Mientras más joven el niño, aumenta la cantidad que los padres deben pagar.

—¡No lo puedo creer! ¿Y hasta cuánto puede llegar la cifra? —pregunté estupefacto.

—Pues, dependiendo de la edad y la buena salud del niño, quince mil, diecisiete mil o hasta veinte mil dólares. ¿Qué edad tienen tus hijos?

—Pues los que van a venir ya, son Elvis de catorce, y Elenita de once —contesté atónito ante semejantes cantidades de dinero.

Llegamos el Restaurante Atlacatl. Pidió la mesa de una de las esquinas, la más alejada del resto de comensales. La mesera, una agraciada jovencita salvadoreña, vestida de blusa blanca y pantalón negro, ya la conocía. «Buenos días miss Elaine», le dijo entregándole la carta del menú. Ordenó una carne asada. Yo pedí una sopa de mondongo y pupusas de loroco con queso. Luego prosiguió con la conversación.

—Con esto de la crisis de niños cruzando la frontera, muchos padres están aprovechando la situación. Yo les ayudo, por medio de la fundación, con el cincuenta por ciento de los gastos, cuento con mi propia gente, mis coyotes, que son gente de mi entera confianza. La única condición, es que los padres acepten que, al llegar, los niños serán donantes potenciales.

—Pero la frontera está lejos, ¿cómo hace luego para traer a los niños? —pregunté tomando una cucharada de sopa.

—La fundación, que tiene lazos con el gobierno Federal, se encarga de embarcar a los niños en los aviones, rumbo a su destino final.

—Ya no veo la hora de abrazar a mis cipotes, voy a tener que rentar un apartamento más grande.

—No te apures, los niños tendrán que quedarse conmigo por un tiempo. Hay que prepararlos para la cirugía, con una dieta especial, y hacerles ciertos análisis de rutina.

Terminado el almuerzo, y luego de beber el último trago de mi fresco de horchata, me propuso ir a conocer su casa en Alexandria. «Está bien», dije gustoso, pensando en el dinero que recibiría por los órganos de mis hijos. Fui al baño y al salir la encontré en el parqueo del restaurante hablando con alguien desde su teléfono celular.

—*Make sure the children are smiling, promise them chocolates and candy if they are nice to my guest.*

No entendí nada, pero eso fue lo que dijo.

La gran casa quedaba sobre la Richmond Highway. Rejas de acero cromado bañado en bronce abrieron automáticamente apenas la gringa llegó a ella. Tenía fachada de ladrillos rojos y ventanas de marcos blancos. El jardín estaba bien cuidado, con rosales y tulipanes en las esquinas. Un caminito de azulejos, de algún material semejante al mármol, con flores de diversos colores a los lados, conducían hasta la puerta principal. Niños y niñas de apariencia hispana salieron a recibirnos alborozados.

—Hola, soy Adriana —dijo una de ellas, que no parecía tener más de siete años—. Ven, te muestro mi habitación.

Tomándome de la mano me llevó escaleras arriba. La casa era de ensueño, con adornos, candelabros y esculturas por todas partes. Parecía la mansión de los ricos que siempre se ven en las telenovelas mexicanas. Y las habitaciones, ni qué decir, las de las niñas pequeñas, con cubrecamas, sábanas y fundas de almohadas con los personajes de las princesas de Disney, y llenas de muñecas. Las de las niñas mayores, igual, pero con las imágenes de Hannah Montana, Demi Lovato y Selena Gómez. Las habitaciones de los niños, muy semejantes, pero con personajes apropiados para varones.

Una habitación bastante grande, llena de juegos electrónicos y educativos, ocupaba un lugar prominente en el primer piso. Cuando pasamos por allí, me llamó la atención que algunos de los niños se sobaban sin cesar la espalda. También que se encontraban seguros bajo el cuidado y la atenta mirada de dos niñeras hispanas. La cocina contaba con tres congeladoras, todas llenas en su integridad de carnes, verduras, jugos y galones de leche. De la preparación de la comida se encargaban dos cocineras, también hispanas.

—¿Qué te parece? —preguntó la gringa Elaine.

—No, pues, si esto está mejor que un hotel cinco estrellas —atiné a decir.

*****

«¡Papá, papá!», gritaron mis hijos emocionados al verme. No pude contener las lágrimas de la dicha. La gringa Elaine, que se ofreció con toda cortesía a traerme al Dulles Airport, observaba muy de cerca la escena. Subimos al Lexus, y en el camino a su casa, procedí a explicarles a los niños que se tendrían que quedar con ella por un corto tiempo, pero que yo iría todos los días después del trabajo a visitarlos; y que el fin de semana saldríamos a divertirnos. No les cayó bien la noticia y le pusieron mala cara a la gringa, que, en ese momento, me pareció ver de reojo, lanzaba una mirada despótica hacia nosotros por el espejo retrovisor.

—Fíjense que les van a tener que hacer una pequeña operación.

—¿Nos van a cortar? —preguntó Elvis.

—Sí, pero es solo una cirugía de rutina que hacen a todos los niños que llegan de Centro América —mentí—. No van a sentir nada porque van a estar anestesiados, y después de eso, ya ustedes se vienen a vivir conmigo al nuevo apartamento que he rentado. —Eso los puso contentos, y me abrazaron.

Los dos días siguientes, saliendo del trabajo, fui a visitar a mis hijos. Tanto las niñeras como las cocineras no se mostraron tan amables como en el día del *tour* por la mansión. La gringa Elaine no estaba en casa, y al salir noté que tres jardineros corpulentos cortaban los arbustos y podaban las plantas. Al tercer día, los jardineros me prohibieron el paso, parándose delante de mí de manera amenazante con machete en mano y tijeras de podar. Pude ver a mis hijos asomarse por una de las ventanas, con el rostro acongojado, como si hubieran estado llorando. Me dio mucha ira; pero ante machetes y tijeras, llevaba todas las de perder. Camino de regreso a mi apartamento, desde el autobús, llamé a la gringa varias veces por mi teléfono celular, pero solo respondía la contestadora diciéndome en inglés que dejara mensaje. No tuve más remedio que colmarme de paciencia, y esperar al día siguiente.

*****

Estaba trabajando horas extras, cambiando unos focos quemados de uno de los pasillos del hospital, cuando veo a la gringa Elaine salir de una de las habitaciones del pabellón de operados convalecientes. Iba acompañada de una pareja de padres hispanos con tres hijos. Todos los niños caminaban con dificultad tomándose la espalda. Uno de los focos resbaló de mis manos, y se estrelló contra el piso haciéndose trizas. Todos voltearon a verme, y la gringa se percató de mi presencia. Bajé de la escalera y puse los otros focos que traía en la mano a un lado. Ella se despidió rápidamente de la pareja, y caminó hacia el lado opuesto, como huyendo de mí. Aceleré el paso y comencé a pegar de gritos:

«Gringa de mierda devuélveme a mis hijos». Tan fuerte fueron mis gritos, que Byron salió de la cocina de la cafetería a darme el alcance.

—¡Púchica vos, no grités así, que te van a botar! —dijo tratando de calmarme, mientras los agentes de seguridad del hospital no lograban ubicar al causante de la conmoción pues no se dieron cuenta que era yo.

En el parqueo reconocí el auto de la gringa que, con gran nerviosismo, trataba de colocar las llaves en el arrancador, sin lograr su cometido ya que estas cayeron al piso del carro. Se agachó a recogerlas y aproveché para abrir la puerta del lado del pasajero y tomarla del brazo. Desafiante, levantó la mirada y me dijo: «Si me haces daño, te denuncio a inmigración para que te deporten y no volverás a ver a tus hijos. Así que piensa muy bien lo que vas a hacer». Saqué la cuchilla que traía en la bolsa del pantalón y se la puse en la panza. «Encendé el carro porque esta es la última noche que mis hijos pasan en tu casa. Y más vale que te portés bien, porque si no, te denuncio a la policía por traficante de órganos».

Llegando a la mansión, y sin dejar de puyarle las costillas con la cuchilla, le ordené que abriera las rejas. Los jardineros corpulentos salieron a recibirnos. Le dije que les ordene que se retiren, a lo cual obedecieron con mirada suspicaz. Caminamos hacia la puerta, y al abrirse esta, mis hijos, que desde la ventana me vieron llegar, se lanzaron a abrazarme. Fue en ese descuido que vi el pañuelo blanco frente a mis ojos, cubriendo mi nariz e inundándome con un raro olor que me invitó al sueño, y perdí el conocimiento.

Al anochecer, estando aún medio dopado, vi las luces de un quirófano sobre mi cabeza, y sentí el crujir de mis huesos de la caja torácica; entonces pasé a ser un número positivo más en la lista de donantes de corazón.

Dejà vú de un amor reencarnado
Alfredo M. Del Arroyo

Alguien me dijo alguna vez que si uno muere el mismo día de su cumpleaños, ya no vuelve a reencarnarse. Creo que mi alma ya sufrió demasiadas muertes. La felicidad me cae con cuentagotas, y cuando parece que la he encontrado, el destino se encarga de arrebatármela y me condena a vivir en eterna soledad. Por eso compré un arma. Quiero ser yo quien decida cuándo he de morir. No el destino, ni Dios, sino yo mismo y de mi propia mano. Tanto el uno como el otro ya me jugaron suficientes malas pasadas. Y, a decir verdad, tampoco he ayudado mucho, soy una persona de sentimientos vulnerables. Lo más probable es que lo haga el día de mi cumpleaños. ¿De qué año? No lo sé. Solo sé que no deseo reencarnarme en nadie. No le deseo a mi futuro *yo* reencarnado una vida desdichada como las tantas que he vivido. Mi vida, la presente, fue una mierda, y como tal, mi último deseo es ser incinerado, que tiren mis cenizas por el inodoro y jalen la palanca.

*****

Cabizbajo caminaba por los pasillos de la facultad cargando sus libros. Buscando en las vitrinas su nombre. Tratando de ubicar su salón de clases de Trigonometría 1. De pronto tropezó con ella, y los libros de ambos fueron a caer regados por el piso. Los dos se agacharon presurosos pidiéndose disculpas mutuamente, y entonces se cruzaron sus miradas.

—Mi plato preferido es el *fettuccine* —dijo ella de la nada con esos penetrantes ojos negros—. Alfredo, sí, te llamas Alfredo ¿no es cierto?

—Claro, como los tallarines a lo Alfredo. ¿Cómo lo sabías?

—No lo sabía, lo intuí.

Y luego de unos segundos de silencio, creyó haber vivido antes ese momento. ¿En una vida pasada? ¿En un sueño? ¿En una premonición? No lo pudo precisar. Aunque eso no fuera posible, puesto que recién se conocían, creyó haber visto antes aquella profunda mirada de sus ojos negros azabache, en alguna otra parte.

—Y tú te llamas como la virgen, ¿verdad?, Fátima, como la virgen.

—Virgen sí, todavía, aunque espero no serlo por mucho tiempo —dijo ruborizándose al caer en cuenta de lo inadecuado de sus palabras—. Pero no me llamo Fátima, tontito, soy María, como la Virgen María.

Sin proponérselo, compartían el noventa por ciento de las clases juntos en la Facultad de Ingeniería Industrial de la Universidad Ricardo Palma. Álgebra, Geometría, Trigonometría, Física, Química y Diseño Industrial. Ella era de Trujillo, y aunque había visitado Lima varias veces, nunca tuvo el tiempo suficiente para conocerla; y él, como un caballero de antaño, la empezó a cortejar desde la pensión donde vivía para llevarla a conocer la ciudad. El Museo de Oro en Monterrico, Larcomar en Miraflores, el Museo de la Nación en San Borja y, en especial, los grandes centros comerciales llenos de ropa y zapatos de moda que a las chicas tanto les gusta.

Una tarde, saliendo de las catacumbas en el Centro de Lima, un fotógrafo con una antigua cámara Kodak los detuvo, cuando caminaban cruzando la plaza de armas frente al Palacio de Gobierno, y les ofreció tomarse una foto del recuerdo. Fue ahí donde sucedió por primera vez. Al disparo del *flash* de la cámara todo a su alrededor empezó a girar velozmente, y al cabo de unos segundos, que parecieron eternos, los autos se transformaron en carrozas jaladas por caballos, las pistas de asfalto en carreteras adoquinadas de piedra, los alrededores del palacio y la catedral tomaron un aspecto colonial. La ropa casual de blusa y *blue jean* que vestía María, transformados en un traje señorial del siglo diecinueve, típico de las damas de la época.

—¿María? —preguntó Alfredo al mirar nuevamente aquellos profundos ojos negros azabache.

—¿María? ¿Quién es María? —dijo ella de manera inquisitiva.

—¿Fátima? —balbuceó él, incrédulo, en voz baja.

—Claro que soy Fátima, tontito, la madre de tus hijos —agregó risueña mientras perseguía a un par de niños que se divertían correteando a las palomas de la plaza mientras que un adolescente canillita gritaba a viva voz: «¡Extra, extra! Tropas chilenas invaden Antofagasta».

—¿Qué les parece si ahora les tomo una foto familiar? —preguntó el fotógrafo pensando en hacer su agosto.

—¿Cuánto? —inquirió Alfredo.

—Un chico y un gordo —dijo el fotógrafo sonriente.

Fátima y Alfredo procedieron a cargar a sus hijos, y con la luminosidad del *flash*, todo volvió a la normalidad del siglo veintiuno.

—¿Te sientes bien? —preguntó María preocupada.

—Sí, creo que sí —respondió Alfredo, algo mareado y con la mirada aturdida.

—¿Cuánto es? —preguntó María al fotógrafo.

—¡Un chico y un gordo! —rio diabólicamente el viejo jorobado de cabello cano, mostrando su sonrisa desdentada.

Entonces Alfredo recordó algo que aprendió en las clases de Historia del Perú del profesor Héctor Merino: A las antiguas monedas del siglo diecinueve de un centavo y dos centavos, se les denominaba un chico y un gordo.

*****

La cafetería de la Richi, cercana a la Facultad de Turismo y Hotelería, siempre estaba llena de chicas conversando trivialidades y muchachos que salían de cacería en busca de sus presas.

—¿Y cómo fue tu primera vez? —preguntó María a Susana, estudiante de Turismo a quien conoció en la cafetería de la universidad, mientras esperaban que Paco, el sanguchero *gay* de la Richi, les prepare sus sánguches de pollo.

—Al principio duele, pero luego se siente bien rico —confesó Susana—. Pero si andas con el huevón de Alfredo, tendrás que esperar años luz. Porque a mí me ha contado Maribel, una amiga del cole, que ahora estudia Sicología, que el muy lento la llevó a un hostal, y en lugar de ir directo al grano, se la pasó leyéndole versos y poemas tontos toda la tarde.

—Es que a lo mejor él es muy romántico —añadió María, tratando de defender la virilidad de Alfredo, de quien ya empezaba a enamorarse.

—Está bien que sea romántico pues amix. Que te lleve al cine o a un concierto, que te regale una rosa. Los primeros días está bien, pero después, si tiene otras intenciones contigo, es él quien tiene que tomar la iniciativa. Besarte, tocarte.

—¿Tocarte?

—Claro pues, lentita, y si tú también te mueres de ganas, no se lo demuestres, aléjale la mano al primer intento, pero en el segundo, ya le dejas que te toque las tetas o que te meta el dedito. Y cuando él sienta que ya estás mojada, ya no se va a detener.

—¿En serio? Me da vergüenza, él es tan respetuoso.

—Por eso te digo, es mejor que te busques otro más vivo, porque el cojinova de Alfredo…

—¿Cojinova? —preguntó María sin entender.

—Es un cojudo, pues —enfatizó Susana—. ¡Es un lentazo! Mira, Maribel me dijo que fue ella quien prácticamente lo tuvo que obligar a meterse en la cama, y estando ya desnudos en la noche, él la abrazó y se quedó dormido.

—Quizás él tiene que sentir amor para hacer el amor —dijo María.

—O quizás es impotente —agregó Susana, y ambas se echaron a reír.

*****

"Hola por dónde andas", texteó Alfredo a María desde su *smartphone*.

"Akí con Susana viendo zapatos en el Jockey Plaza", contestó ella.

"Voy para allá", respondió él.

Al llegar, ambos se vieron y saludaron, extendiendo sus brazos de un extremo a otro de las esquinas de la avenida Javier

Prado. Aquella soleada tarde, el sol hacía brillar sus rayos ultravioletas en los techos de los autos, dándoles un aura incandescente. Al paso de una Cúster, la brillantez solar se vio reflejada en el parabrisas, provocando un haz de luz. Con la velocidad de un rayo, Alfredo se vio transportado al pasado por segunda vez, agitando sus brazos, despidiéndose de Fátima y sus hijos, desde la ventana del tren que lo llevaría al sur para defender el territorio patrio, en una guerra en la que, cobardemente, el incitador de ella huyó a sus montañas del altiplano perdiendo su mar territorial. Alfredo sabía de antemano que esa sería la última vez que ella lo vería con vida, y un par de lágrimas rodaron por sus mejillas.

—Amigo, amigo —sacudió de los hombros el policía de tránsito a Alfredo, haciéndolo volver a la realidad—. Tienes que calmarte amigo, ya no hay nada que hacer.

Susana tomó a María de la mano, y la jaló para cruzar la pista, sin percatarse que detrás de la Cúster, venía una combi a toda velocidad. Susana se puso a salvo de un salto. María no corrió con la misma suerte.

No pudo terminar el primer trimestre en la Facultad de Ingeniería cuando tuvo que partir de regreso a su Trujillo natal. La brillante luz de sus profundos ojos negros azabache se apagó. Alfredo acompañó el féretro con el cuerpo inerte, durante el recorrido de más de seis horas desde Lima, llorando desconsoladamente su desdicha por perder a su joven amor. Tan solo días antes había probado por vez primera la miel de su piel en una cama celestial, totalmente cubierta de pétalos de rosas blancas y rojas, tal como lo había soñado y escrito, en uno de sus tantos poemas de amor. Perdiendo ella la virginidad y él la castidad, juntos, ante una imponente puesta del sol que se filtraba por la ventana, en un hostal con vista al mar de la avenida malecón de la Marina.

*****

Agazapado en la trinchera amaneció escribiendo una carta para Fátima. *"Busca un hombre que te ame y ame a nuestros hijos tanto o más que yo"*, le decía. La densa neblina calaba los huesos en aquel triste amanecer desértico en ese Arica donde los soldados sabían que iban a morir. El coronel ya había dicho sus últimas palabras: «Hasta quemar el último cartucho». El enemigo los superaba en número y en armamento aquel siete de junio de mil ochocientos ochenta, un día antes de su cumpleaños. La batalla estaba perdida de antemano. Pero, aun así, protegerían el morro hasta el aliento final de sus cortas vidas. Los primeros disparos comenzaron temprano. Alfredo tomó la pluma y presuroso se puso a escribir los versos iniciales de un poema inesperado:

Adiós amor, tu suavidad me va a faltar.
Del sur invaden para robarte tu honor.
Tan clara era tu voz.
Tu no presencia y tu no besarme
Y tu no abrazarme serán mi gran tesoro. *

Arrugó el papelucho y lo introdujo en el bolsillo de su uniforme. El Batallón Artilleros de Tacna cayó abatido rápidamente ante la feroz arremetida del enemigo. Entonces los soldados salieron de las trincheras y empezó la lucha cuerpo a cuerpo. Balas y cañonazos llovían de todas partes. No supo a cuántos soldados enemigos logró alcanzar, hasta que se le acabaron los cartuchos y no le quedó otra alternativa que usar la bayoneta de su fusil Remington. Fue en ese momento que sintió el impacto del primer disparo por la espalda, a traición, quemando su pulmón derecho. El segundo balazo lo recibió de frente, trastabilló y cayó de rodillas sobre la arena del morro. Sacó la foto familiar que se tomaron en el centro de Lima meses atrás, y ensangrentada, la apretó fuerte contra su pecho moribundo, hasta que llegó el oficial enemigo para rematarlo de un disparo en la cabeza.

*****

—¡Fátimaaaaaaaaaaaa! ¡Fátimaaaaaaaaaaaa!
Desperté gritando desesperado y como un vendaval vinieron a mi memoria los recuerdos de muchas vidas, algunas de éxito, otras, de esclavitud y zozobra. Pero demasiadas muertes, la mayoría violentas. Fui un guerrero chimú enterrado vivo junto al

Señor de Sipán, un jefe inca traicionado por su hermano, un indio maya sacrificado al dios Hunab Kú, un soldado griego muerto en Troya, un esclavo egipcio cargador de rocas para construir pirámides, un héroe cusqueño jalado de las extremidades por cuatro caballos, una joven revolucionaria francesa quemada viva, un soldado desembarcando en Normandía, un pobre poeta peruano muerto en París, un presidente asesinado en Texas, un rockero inglés ahogado en su propio vómito, una activista de pueblo joven abatida por Sendero Luminoso. Tantas, tantas vidas y tantas muertes violentas. Tanto dolor y sufrimiento. Hasta que no sé si desperté o simplemente salí de un estado de trance, con un grito de: «¡Basta! ¡Basta, Dios mío! Si existes, entonces, ¿por qué me condenas de esta manera? ¿Por qué te llevaste al amor de mi vida, en la única vida en que creí que siendo un don nadie podría ser feliz?».

Arma en mano, salí presuroso del edificio donde vivía. Corrí por el malecón Armendáriz, rumbo al puente Villena en la bajada Balta. Me detuve al borde de la baranda. ¿Qué sería mejor? Saltar y morir adolorido y desangrado con los huesos rotos, o pegarme un tiro primero, para luego caer sin sentir dolor alguno. Opté por lo segundo. Abrí la boca lo más que pude, introduje el cañón de la pistola en ella, y respiré profundo el aire de mar al borde del acantilado, para vivir mi última muerte en el día de mi cumpleaños, y dejar de sufrir durante tantas malditas vidas.

* Estrofa de la canción "Adiós Amor". Autor: Mar de Copas.

Detrás del lienzo
Alfredo M. Del Arroyo

Sentado frente al caballete trato de organizar mis ideas.
Quiero pintar un autoretrato futurista. Algo que me defina y a su
vez simbolice un designio de un acontecimiento que sucederá,
quizá como un sueño premonitorio, un efecto mariposa, un
fenómeno inestable de dinámica cuántica que cambie el entorno de
mi rutina sin transformar el resultado final. Ese que tantas veces
he deseado, en varias etapas de mi vida. Soñando despierto que
caigo al abismo, tragado por el agujero negro del cuadro que acabo
de pintar, por el que la galería de arte me ofrece miles de dólares y
me niego a vender esperando que llegue el día en que mi presagio
se cumpla.

La vejez me sorprende aún lúcido. Algo olvidadizo, quizás,
con algunos atisbos de sordera, tal vez, pero mis piernas, a pesar
de su constante pesadez, se mantienen firmemente apoyadas contra
el suelo, con la ayuda de un bastón, claro, mi tercera pierna, a la
que a veces me entran deseos de estrellar contra la pared y partir
en dos.

«Tú eres mi todo», me dijo, «no deseo olvidarme de ti
jamás», escribió en la nota que dejó sobre la mesa de mi estudio,
bajo el pisapapeles de Cupido. Descansa, mi doncella, musa de
infinitos atardeceres. Eres para mí lo que Gala fue para Dalí. Cada
línea dibujada en la lona de mis cuadros lleva tu nombre.
Imperecederos, por siempre, mi legado eterno. Un poquito de ti
exhibiéndose en los museos del mundo, como rayos catódicos
invisibles al ojo humano, enviando mensajes subliminales

desbordados de amor y pasión. Gritándole al cosmos mi amor por ti mediante potentes estallidos espectrales. Densos píxeles de ruido blanco en las pantallas de mis lienzos planos, descomponiéndose en frecuencias con olor a pintura. Esmaltes infinitos en la gráfica de mis rayas enloquecidas. Impulsos aleatorios enmudecidos, conteniendo sonidos estocásticos que solo podemos escuchar y descifrar tú y yo. Sembrando de caos comprimido el paño unívoco de mi esquizofrénica rendición. Y caigo a tus pies, mi amor. Derrotado en una batalla contra mi propio ego, desafiando la estética salpicada en mi mandil. Dejé de ser racional, amor mío. Enceguecido ante la visión de tu pronto olvido, decidí que lo mejor sería inmolarnos. Cual kamikazes en la Segunda Guerra Mundial, lanzándonos en picada al vacío. Realidad innata de la hiperactividad que reina en mí. ¿O seré realmente yo? Quizás esté poseído por Godward, reencarnado por Rothko, hechizado por Van Goth o endemoniado por Gorky.

Podría tratarse de un error, doctor. ¿En cuánto tiempo dejará de recordarme? ¡Óigame, galeno! Dígame la verdad, que son veintinueve años juntos de bohemia y bonhomía. De arriba abajo, de izquierda a derecha, de este a oeste y de norte a sur. Recorriendo el orbe, visitando galerías, museos, cafetines y universidades. Dando charlas, conferencias y exhibiciones, viajando constantemente dictando clases como docente, para que de pronto usted nos eche un baldazo de agua fría y me diga que se le irá la memoria poco a poco hasta que un día de buenas a primeras no sepa quién soy. Que amanezca conmigo al lado y no recuerde mi nombre. Que le traiga el desayuno a la cama como todos los fines de semana y me mire sin entusiasmo, aletargada, como quien mira un objeto sin valor ni sentimiento. Y hábleme en cristiano porque esos términos de enfermedad celíaca y ovillos neuropatológicos no los entiendo, mejor llámele demencia senil o Alzheimer, y punto.

Empiezo con un marrón brillante, como para imitar el color de un piso de parqué. Todavía no sé si pintaré de fondo la sala de estar o el salón principal de la casa. Luego de meditarlo, me decido por la sala de estar. Con mis cuadros de Tamayo y Botero sobre la pared blanca escarchada, mi colección de huacos y cerámica precolombina encima del taburete central, iluminados diagonalmente desde el techo con cableados eléctricos que yo mismo instalé. Telares de la Cultura Mochica, con franjas modulares antropomorfas de excéntricos tejidos estructurales geométricamente entrelazados, y míticos mantos Paracas de soluciones cromáticas. Ajuares funerarios guiando a personajes sagrados en su viaje al más allá, colgados en la pared de enfrente. Generoso obsequio de Julio C. Tello cuando yo era solo un joven estudiante y visitaba el Museo Nacional de Arqueología y Antropología. Acompaño mis pinceladas lúgubres de líneas amorfas con recuadros electromagnéticos de nieve ultrasónica camuflados en imágenes mudas que solo los perros pueden oír, como en *A day in the life,* aquella canción de los Beatles sonando en la consola del viejo tocadiscos que vuelve loca a nuestra mascota. Me pregunto qué irá a ser de ella sin nosotros. Calco la tenue luz que atraviesa las cortinas de seda de la India e ilumina nuestros antiguos muebles del siglo XIX que adquirimos de los herederos del Caballero de los Mares. Luego continúo con las esculturas, y pinto versiones diminutas de *El Sol Negro* y *Pasajeros I y II.*

Entonces escucho que despiertas. Me miras. Dibujándome con las yemas de tus dedos acaricias mi rostro y siento que debo llegar al clímax. Te ayudo a vestirte. No recuerdas en qué cajón de la cómoda está tu ropa interior. No importa, corazón, yo sé dónde está. Sonríes. Volteo. Te doy la espalda y mis labios deformes sobre el tapiz tratan de contener el llanto. El aspecto de las figuras empieza a tener sentido. Dejo el amarillo, el ocre y el *beige*, y retomo el marrón resplandeciente. Llevándote del brazo coloreo · las gradas. Me apresuro y tomo el rojo. «Te amo», susurro en tu oído y huelo el jazmín de tu pelo. Sujeto firme el bastón y lo atravieso entre tus piernas. Cojo una brocha más grande, la sumerjo en la lata de pintura, rocío gotas de rojo sobre el paño y caes salpicando restos de sangre en cada peldaño. Escucho los ladridos. Trazos atiborrados de muerte adornan el lienzo rodando por las gradas. Y caigo desconsolado sobre el perro en el último escalón.

Luis Fernández-Zavala, Ph.D. nació en el Callao y reside en Santa Fe, New Mexico. Sociólogo, Doctor en Estudios Latinoamericanos (The University of Texas at Austin), docente universitario (Universidad Católica del Perú y The University of New Mexico); ha sido consultor para el Banco Interamericano de Desarrollo y la OEA. Papá a tiempo completo e intérprete.

Ha publicado: *Evaluación programática y educacional en el sector público* (INAMER OEA, 1997), el cuento infantil *How Michelle and Archie Bob Saved the World* (trabajo colaborativo con niños - Wood Gormley School, 2006), *El guerrero de la espuma y otras tantas despedidas* (Pukiyari Editores, 2014). En Perú, ha sido miembro del Círculo Literario Amauta, CIRLE de la Universidad Católica del Perú y el grupo de teatro Los Grillos. Miembro del New Mexico Book Association. Colabora con los blogs de literatura y cultura Cervantes@milehighcity (Denver) y Bitácora del Arcipestre (Santa Fe). Participa en las actividades bilingües del Teatro Paraguas (Santa Fe) y la Sociedad Intercultural Peruana del Southwest. Bestseller en PeruEbooks en octubre 2014. Su lema preferido: "La ficción literaria es una mentira bien contada en el papel".

Se le puede contactar en: luferza@gmail.com

El hotel que la habitaba
Luis Fernández-Zavala

A Ricardo Vacca-Rodríguez

Uno

Se dirigió al espejo y empezó a delinearse los ojos con un nuevo producto que compró dos días antes en la tienda Oeschle del jirón de la Unión. Mientras su mano obraba con la precisión de relojero suizo, recordó que un examante alguna vez le llamó: "ojos de túnel". ¿Quién fue? Se puso las grandes gafas que enmarcaban unas uvas de ojos, se pintó los labios de un rojo estridente y concluyó su labor haciendo unas muecas de hipnotizadora frente al espejo. La blusa blanca pegada a la piel levantaba sus senos pequeños y la falda negra a media rodilla, también ceñida, la hacía aparecer más alta. Le agradó lo que vio. Lanzó un coqueto beso al espejo, agarró su cartera tipo maletín y salió con paso firme de su casa en Puente Piedra con dirección al centro histórico de Lima. Después de dejar pasar varios carros destartalados y sucios, tomó un taxi que lucía decente. No quería ensuciar su pulcro uniforme, ni llegar a su primer día de trabajo sin un poquito de estilo. Un Kia haría el truco. Al alejarse de su populoso barrio, Lima parecía engullir el carrito entre las agallas de un monstruo humeante, gris y vociferante.

Ya en pleno centro histórico y en el día de su debut como mesera del Gran Hotel Bolívar, una muchedumbre de comerciantes formales e informales moviéndose como hormigas tenaces la acompañaban a cruzar la plaza San Martín; otros peatones apurados y con miradas sonámbulas se desplazaban por los jirones aledaños, ya sin la elegancia distraída de los paseantes que ella había visto quince años atrás, cuando visitaba la Farmacia Italiana para tomar helados de lúcuma y chirimoya con su abuela Dari. Por esa época todo parecía más solemne y mágico. Hasta las calles tenían nombres interesantes que desperezaban su imaginación cuando su abuela se las mencionaba: «El límite del plano original de la Lima de Pizarro llegaba hasta el jirón Ocoña, por el sur, donde ahora está el Hotel Bolívar. Estaba rodeado de las calles Matajudíos, Pilitricas y Pasaje Bravo... El nombre de las calles se cambió por el año 1861, reemplazándolos por los departamentos y provincias del Perú... aunque la gente seguía usando los nombres originales... Pero te digo, hijita, no era lo mismo ir al jirón Cañete que a la calle Chicherías o al jirón de la Unión y a las calles Escribanos, Mercaderes, Espaderos o Bodegones...».

Ahora todo era pura fachada y huachafería, las calles habían perdido su personalidad ligada a lo que sucedía en esos espacios urbanos (o a un personaje importante), los edificios repintados y remodelados solo mantenían el mascarón de lo barroco, de lo colonial o de la prestancia arquitectónica de los años treinta, y desde adentro de los edificios antiguos y descuidados emanaba un tempranero hedor a papas fritas, chanfainita y el infaltable pan con chicharrón embriagando el paso calcutizado de los transeúntes. La Lima que se abría a su paso tenía borradas esas sensaciones misteriosas de ciudad grave distinguidas por una niña de nueve años que caminaba de la mano de su abuela, vistiendo sus mejores galas de domingo. El centro histórico de Lima era definitivamente otro. Ya no un lugar para visitar y pasear, se había convertido con el paso de los años en una torta mal decorada con avenidas para transitar e irse a otro lugar, un pasacalle desordenado, caótico y bullanguero.

Mientras se acercaba al edificio del Gran Hotel Bolívar, situado en la esquina de La Colmena y jirón Ocoña, le invadió un leve vahído al levantar la vista hasta divisar el último piso de los cinco que tenía el hotel. El cuadrado castillo blanco, taciturno y ceremonioso, con alargadas ventanas que permitían a sus usuarios un atisbo de la ciudad sin mucho que mostrar, terminaba con unos pináculos tratando de rozar las panzas de etéreos peces en el cabizbajo cielo limeño.

Al cruzar la puerta principal del hotel, con marco de metal brillante como dintel y puerta de vidrio donde estaba parado un portero de uniforme operático (algo así como un príncipe casual o un soldado en ropa de gala), Verónica esbozó una sonrisa cómplice y por breves momentos quiso sentir la misma sensación de complacencia que alguna vez tuvieron famosos huéspedes como Walt Disney, John Wayne, Jorge Negrete, Cantinflas, Evita Perón, Rita Hayworth (la misma que en la puerta del hotel dijo con inocencia malandrina a los periodistas que la acechaban: *«All I wanted was just what everybody else wants, you know, to be loved»*), Ava Gardner, el majará de Kapurthala, entre otras personalidades que visitaron el hotel entre 1924 y 1970. Este era el lugar que su abuela Dari denominó: "Hollywood en Lima".

Sin perder el paso esmerado que trataba de dosificar, llegó hasta un amplio salón circular iluminado por un inmenso vitral en el techo. Miró con cierta aprensión el inmaculado salón de lustrosas losetas de mármol blanco en el piso y decidió sentarse en un sillón forrado de pana celeste, entre los bustos de Mozart y Dante. Las columnas de mármol italiano (de Carrara, supongo) que rodeaban el recinto parecían apuntalar un sol muy imaginativo plasmado en el finísimo *vitreaux* del techo. Mientras esperaba a sus anfitriones, sus carnosos labios no cesaban de despegarse y juntarse cuando levantaba la mirada hacia el vitral redondo e inmenso que con pedacitos de vidrio amarillo brillante representaba un sol difícilmente existente en Lima. *Debe de tener casi cien años este sol de fantasía turística*, pensó, mientras observaba el intrincado despliegue de apretados trozos de vidrio que dibujaban además unas urnas doradas alrededor del sol y lazos verdemar desprendiéndose de éstas.

La reunión de orientación a la que fue invitada antes de empezar su jornada de trabajo se inició con la presencia del director de servicios hoteleros, la jefa de meseras y un señor de muy avanzada edad que parecía sostener su columna vertebral con una almidonada camisa blanca, los tirantes que le subían casi hasta a la garganta y un gastado pantalón negro de varios pliegues. Era el secretario general del sindicato de trabajadores. Todos le dieron la bienvenida entre formal y amigable y se dispusieron a deletrearle qué podía hacer o no hacer en el Gran Hotel Bolívar. No faltó la perorata sobre otras épocas del hotel y su clientela de artistas famosos, jeques y presidentes. Verónica abría sus enormes ojos exageradamente y los cerraba con las cortinas de pesado rímel, absorbiendo la información que ya conocía.

Sus anfitriones la invitaron a visitar las diferentes áreas de trabajo y servicios del hotel. Se dirigieron primero a los amplios salones para eventos sociales. Pasaron por el Salón Simón Bolívar, que hasta 1968 era usado para la presentación de las cartas plenipotenciarias de los embajadores extranjeros en el Perú; el Salón Dorado, que era una réplica del original en el Palacio de Gobierno; y el Salón Principal, que en sus mejores épocas había acogido a grandes personalidades en banquetes acompañados por la Orquesta Sinfónica Nacional. Todas estas salas todavía mantenían sus arañas de cristal desprendiéndose de los techos blancos llorando destellos de luz, alfombras belgas y lámparas esquineras de alabastro. Sin embargo, la escenografía era aséptica, casi una postal pintada a mano perdiendo sus colores ya que muchos de los lujosos muebles adquiridos de la firma británica Waring & Gillow en 1924 fueron rematados tiempo atrás para poder pagar las deudas pendientes del hotel. Lo poco que quedaba, como las mesas esquineras, no pudieron ser vendidas porque les faltaba el sello de los famosos diseñadores ingleses. «Solo firmaban un treinta por ciento de su producción; y los compradores no confían en nuestra palabra», le dijo el jefe de servicios hoteleros. La mirada de Verónica se esparció por las inmensas salas y hasta creyó escuchar el suave rasgado de las colas de los vestidos de noche deslizándose sobre la alfombra, los tacones hundiéndose entre las apretadas fibras y el mullido paso de los zapatos negros de charol de los caballeros danzantes, hasta que la llamaron para visitar el bar del hotel.

Lo primero que tomó por asalto la atención de Verónica fue la inmensa barra de cedro y mármol donde se servía el famoso pisco sour catedral, la misma que describía con precisión su abuela cada vez que pasaban delante del Gran Hotel Bolívar. «La barra del bar es como de las películas de Humphrey Bogart», le contaba. Deslizó la palma de su mano derecha por la barra, como tratando de absorber las historias de otros tiempos, mientras le explicaban los protocolos del servicio. Terminado el preámbulo en el bar, descendieron al sótano, por una curvilínea y apretada escalera, hasta llegar a la cocina y los almacenes. Le pareció que bajaban a unas pulcras catacumbas. Seguían las recomendaciones: choritos a la chalaca y chicharrón de pescado con yucas fritas y crema picante de ajo y ají limo eran los platos más pedidos a partir de las cuatro de la tarde y tenían que servirlos con prontitud. Los platos de antaño se podían apreciar en los menús colgados en las paredes de la cocina como un monumento a paladares exóticos pasados de moda, al menos en el Gran Hotel Bolívar: *Avocat à la Cubaine, Caviar Russe, la poire Jacqueline compagne de Vodka, Pêches Flambée a la framboise.*

El chef, un grandulón de cachetes rojizos y cabello engominado vestía una chaqueta blanquísima con su nombre en rojo junto a una banderita rojiblanca, saludó a Verónica con frialdad sin detener sus quehaceres, pero no perdió tiempo en lanzar una mirada aprobatoria a sus piernas fuertes y torneadas cuando ella volteó para seguir su recorrido. Ya de salida, Verónica miró de reojo los hornos y refrigeradoras Westinghouse, sorprendiéndose de que todavía estuviesen funcionado a pesar del estentóreo ronroneo que producían. *Para abrir las puertas de este refrigerador se necesita dos mastodontes como este chef,* pensó. Volvieron a subir al primer piso del hotel y le indicaron que visitarían las habitaciones.

—Solo tenemos acondicionados tres de los cinco pisos… tomemos el ascensor —dijo el director de servicios, que se esmeraba en hablar del hotel como un vendedor de bienes raíces.

El pequeño ascensor de paredes de espejos era una cajita rectangular con mucha luz proveniente de esas bolas de vidrio que ya no se ven por ninguna parte, excepto en la decoración Art Deco de los antiguos edificios de Chicago. Lo reducido del espacio los hizo apretujarse y Verónica dudó que la cajita móvil pudiera elevarse hacia el tercer piso. El director de servicios apretó el botón negro y no cesó de secarse el sudor de la cara con un blanquísimo pañuelo que esparcía un olor melosamente cítrico.

—Le explicaremos *in situ* el protocolo del servicio a las habitaciones —dijo la jefa de meseras con amanerada solemnidad, exhibiendo adrede un lenguaje que no le pertenecía, como tratando de emparejar el terreno de su ego, su autoridad y la imagen que reflejaban los espejos que rodeaban el ascensor: su cuerpo de matrona madura y lo espigado del cuerpo de Verónica.

Se abrieron las puertas del ascensor y apareció un largo corredor mucho más sobrio de lo que Verónica se imaginó; asemejaba más un pasadizo de hospital por lo limpio y frío, ya sin las pinturas de la escuela cuzqueña que también habían sido rematadas. Una angosta y larga alfombra celeste rompía la rutina del corredor. *Esta habría sido la última visión de los huéspedes antes de ser engullidos por la pasión de sus noches en la Ciudad Jardín, la Tres Veces Coronada Villa, la de playas tristes, el bostezo gris entre tanto desierto, Lima, mi vieja Lima, la Lima de mis helados de lúcuma*, se entretuvo en pensar Verónica. Detrás de esas puertas del cielo, o del infierno, quedaban las historias de las cuales nada se sabría, muchos imaginarían y otros inventarían para la chismografía de la época.

Los acompañantes de pronto perdieron la solemnidad con la cual se venían presentando y pausaron su andar para mirarse mutuamente y decidir si mencionar lo que todos ellos estaban pensando. El jefe de servicios volvió a sacar su cítrico pañuelo blanco, señaló la habitación 366 y sin fijar la mirada en ella, dijo como confesándose:

—Parte del atractivo del hotel es que circulan historias macabras y de fantasmas. Se dice que todavía penan aquí las almas de aquellos que vivieron sus últimos momentos en el hotel y nos dejaron trágicamente.

—Son solo historias para turistas —insistió el viejito del sindicato sin dejar de mirar la habitación 366.

—Me ocuparé de reportar toda aparición sospechosa, para alimentar la imaginación de los turistas, por supuesto —les dijo ampliando su sonrisa. Sus anfitriones volvieron a arroparse en la solemnidad con la que venían desempeñándose y procedieron a abrir la habitación 364.

La mirada un tanto decepcionada de Verónica se detuvo en cada una de las reliquias que amoblaban la habitación; todas parecían haber sido obtenidas apresuradamente en tiendas de antigüedades como La Vernissage de San Isidro. Nunca había visto tanto vejestorio junto: un televisor Zenith de los años sesenta, con una caja de madera que daba la impresión de ser más una radio con pantalla, el verdadero Grundig parecía un mini piano silencioso, con teclas y grandes ruedas para manejar el volumen y cambiar las estaciones, un teléfono negro con dial giratorio, una larga alfombra tipo persa con colores disminuidos yacía desgastada al pie de la cama, un velador con mármol en la parte superior, dos cuadros de adustas damas con cara antigua y virginal y, finalmente, como fiel testigo de sueños y ensueños, una pequeña lámpara de bronce con tulipa de seda rojo, junto a la amplia cama con cabecera de caoba (*cama de cardenal*, pensó Verónica). El armatoste, tantas veces trajinado, lucía inerte y se elevaba del suelo sobre patas de madera tallada. (*¿Cómo tirarse un polvo alegre en esta cama?*, se interrogó Verónica). Las ventanas cubiertas con largos tules cerraban el paso a una tenue luz natural y a la visión del hormigueo humano en la plaza San Martín.

—Esto es todo lo que tenemos —dijo el director de servicios manipulando otra vez su pañuelo como dando señales de que el *tour* había acabado.

—El baño no es nada del otro mundo, excepto por la tina de porcelana que tiene agua caliente si SEDAPAL no nos la corta aduciendo deudas sin pago —añadió el viejo sindicalista.

—¿Alguna pregunta señorita Verónica? —le disparó la jefa de meseras.

—No señora.

—Empiece a preparar, por favor, el servicio para los parroquianos que se presentarán alrededor de las cuatro.

Después de la apretada presentación de los servicios del Gran Hotel Bolívar, Verónica se abocó a doblar servilletas mientras esperaba a la muchedumbre que solía aparecer terminada su jornada de trabajo. El chef grandulón no cesaba de mover sus trastes y verduras, y de vez en cuando le lanzaba miradas entre curiosas y molestas a Verónica. Al artista culinario, como le gustaba que se refirieran a él, no le caía muy bien que extraños estuvieran alrededor de sus quehaceres, se sentía observado, pero al mismo tiempo su instinto de macho cabrío no podía evitar la placentera visión de un cuerpo joven y apetitoso cerca de él. Verónica seguía en su tarea mecánica y lenta, ignorándolo.

El artista culinario nunca se imaginó que al aceptar el trabajo en el Bolívar iba a estar preparando piqueos criollos en vez de los clásicos entremeses que acompañaban la tarde de aperitivos de clientes de alta prosapia. Los consuetudinarios de antaño tenían otros ritos ligados al *bon vivant*. Para éstos era el momento de socializar antes de la opípara cena, de hacer contactos y planificar con relajada anticipación el próximo momento de placer o de negocios, de hacerse presente entre iguales y recoger información sobre lo que sucedía en Lima o transmitir lo que les interesaba comunicar a su círculo de famosos de una manera casual y aparentemente espontánea. Al principio, las reglas del buen vivir ameritaban el consumo de vermut, esa seductora bebida elaborada con más de cien hierbas aromáticas, que estimula el apetito y predispone al goce dosificado; con el tiempo éste fue remplazado por el pisco sour que, sin perder los efectos placenteros en el paladar, aceleraba sus momentos de socialización, regalándoles, además, la sensación de que la simplicidad autóctona también podía ser asimilada por los paladares sibaritas. La mayoría de los habitantes comunes y corrientes de la capital del Perú tomaban este trago en funerales y bodas; para la antigua aristocracia epicúrea todos los días eran una fiesta y el inicio del placer, y lo tomaban a diario.

A las seis de la tarde terminó su primer día de trabajo (larga jornada que no incluyó el tiempo invertido en las explicaciones sobre los protocolos de los servicios), marcó la tarjeta de salida y se dirigió a su casa en Puente Piedra pensando en Pablito y maldiciendo sus tacones. Tuvo que cruzar media Lima y se demoró más de dos horas y media en llegar a su casa, gracias al caos que el alcalde de Lima (el Mudo) había iniciado para arreglar la congestión vehicular de una ciudad que crecía como odiando a su gente. Subir a las combis era toda una aventura en la que Verónica siempre perdía la fe en la humanidad. Primero, intentar subir en el vehículo entre empujones aplicando la ley de la selva, después, soportar hedores sudoríparos y manoseos disfrazados de roces casuales, música estridente y gritos de los llenadores y cobradores de las combis, era demasiado para terminar un día de trabajo. *¿Cuándo será el día en que los limeños podamos regresar a la casa sin ser tratados como animales? ¡Cómo me gustaría que la*

*hija o la esposa del Mudo tuviera esta experiencia todos los días!
¡Mudo de mierda!*, refunfuñaba mentalmente.

Pablito yacía en su cama con su piyama de rayitas de colores, totalmente dormido. Verónica se acercó tratando de no hacer ruido, apretando una sonrisa tierna le dio un beso en la frente, cuidando de no despertarlo. «Así es el trabajo, Principito, pero mañana te leo tus cuentos…Ya tengo chamba, termino de estudiar y no te faltará nada». A sus veinticinco años, ese cuerpecito flaco y enclenque que dormía despreocupadamente, le inspiraba una ternura desbordante y era su mayor motivación para salir adelante. Pablito, probablemente, no vería el rostro plácido de Verónica sonriéndole y seguiría soñando con Legos, Robocops, Transformers y en las historias enrevesadas que le leía su mamá. Los cuentos que Pablito escuchaba de la voz áspera y a veces acelerada de Verónica nunca salían de los libros tal y como fueron escritos: Gulliver, como gigante o enano, se tiraba pedotes o peditos según el lugar y la aventura; la Cenicienta tenía un pie más grande que el otro, por tanto uso de los zapatos Bata de segunda mano, los tres chanchitos eran así de gorditos por tantas gaseosas y salchipapas; la Caperucita Roja tenía tendencias comunistas; y Rapunzel llevaba una ciudad de gnomos en su kilométrica cabellera y probablemente nunca supo de Glemo, el *shampoo* al huevo. Siempre algo más de lo inesperado podría suceder, más allá de lo que los hermanos Grimm o Jonathan Swift quisieron poner en sus fantasías folklóricas. Cuando los añadidos no eran suficientes para embelesar la imaginación y provocar el sueño mágico y apacible de Pablito, Verónica lo ponía dentro de las historias como un Super Cholo, un Super Cuy, una estrellita tintineante, un pececillo multicolor de ojos enormes o simplemente como el Principito.

—Había una vez un Principito llamado Pablito… —le susurró mientras la pasaba la mano por su cabecita adormitada.

Le dio un beso volado mientras se dirigía hacia la cómoda frente a su cama. Puso los codos sobre el mueble y sosteniendo su cara con las dos manos, le sonrió al retrato de su abuela. «Es tal como me lo describiste, Dari, es como Hollywood. Gracias por el día. Mañana te traigo tus margaritas y te cuento más».

Dos

En dos semanas de trabajo, Verónica logró organizar su horario de tal forma que en las mañanas podía asistir a sus cursos de negocios internacionales en la Universidad Ricardo Palma y a partir de media tarde hacer su trabajo en el hotel. No fue fácil conseguir ese arreglo. Tuvo que hablar y convencer a la jefa de meseras, quien le contestó inicialmente que no tenía todavía el tiempo suficiente en el trabajo para escoger su agenda laboral. «El derecho de antigüedad se respeta aquí», le insistió varias veces en su respuesta. Lo mismo le explicó el señor Francisco Gamarra, el sindicalista; en tanto que el jefe de servicios le dijo que ese no era su asunto, lo tenía que resolver con la jefa de meseras y el sindicato.

Suerte para ella que una de las meseras más antiguas decidió jubilarse debido a que sus venas varicosas le estaban pasando factura. El señor Gamarra le comunicó la noticia y aprovechó la oportunidad para contarle que, si bien los más de cincuenta trabajadores formaban una familia, como toda familia, existía una fuerte dosis de disfuncionalidad.

—Somos en realidad una especie de cooperativa económica, pero existen dos bandos. El grupo antiguo, que viene trabajando por más de veinte años en el hotel; y los nuevos, como tú, que vienen y se van. A nosotros nos llaman los "zombies". Los otros son los "pulpines" a pesar de que no son tan chibolos. Quizá tengan razón en llamarnos "zombies", porque nunca quisimos morir desempleados. Cuando en el año 1995 el dueño, el señor Jacobo Rupert, se declaró en bancarrota y abandonó el hotel a su suerte con muchas deudas al fisco, nosotros nos organizamos en una cooperativa y asumimos el manejo del hotel. Hay una deuda que pagar y varios juicios por ganar porque el antiguo dueño vendió ilegalmente el hotel al consorcio panameño Huron Equities Inc., del cual él es socio. Tú eres miembro de la cooperativa si te quedas por lo menos tres meses trabajando.

—Qué pena escuchar esto.

—No, somos un ejemplo para muchos… Es complicado, pero lo más importante es que tenemos trabajo. Tú tienes trabajo.

—Gracias, señor Gamarra, por la información. Cuente

conmigo. Trataré de llevarme bien con todos y ojalá se arregle lo de los juicios.

En el Gran Hotel Bolívar ya no pululaban los artistas famosos, ni los poderosos políticos. El recinto parecía "democratizado" para los limeños y cualquier persona ahora podía entrar al Bolívar. Sin embargo, para algunos turistas de antaño, volver al Bolívar era un ejercicio de memoria y nostalgia; y, entre estos, estaba el doctor Fernando Quijandría, cirujano cubano coleccionista de arte que nunca se percató que el hotel ya era otra clase de hotel y decidió seguir pasando sus vacaciones aquí. El octogenario residía en New York, se había hecho de una colección privada de arte que ahora pretendía donar al Museo de Arte de Cuba, no por otra razón que por ser amigo de Fidel Castro. Durante estas vacaciones estaba usando el Bolívar como su centro de operaciones una vez más.

Verónica le prestaba especial atención por la puntualidad para asistir a sus cotidianas cenas. Ella sabía que eran las seis y media de la tarde cuando el doctor Quijandría aparecía lentamente en el comedor del hotel vistiendo su terno y corbata italianos. No hablaba mucho, pero de vez en cuando dejaba entrever algo de su historia personal entre cena y cena. «¿Sabe dónde queda Santa Clara?», le preguntó alguna vez, a lo que Verónica aturdida y solícita respondió con otra pregunta: «¿Aquí en Perú?». El doctor Quijandría dirigió su mirada al daiquiri entre sus manos y musitó con la cabeza gacha: «No, en Cuba. Allí nací yo y allí venció el Che». Verónica no supo qué decir, sonrió sintiendo que defraudó a su cliente.

Ese martes, el doctor Quijandría tuvo un día bastante agitado no solo por las largas y tediosas reuniones con miembros de la embajada cubana, sino también porque visitó el Museo Textil Amano para que le dieran un certificado de autenticidad a las telas Nazca que él poseía. Se le notaba cansado, más lento que de costumbre.

—Buenas tardes, ¿qué se va a servir hoy?

—Lo de siempre, un daiquiri y una sopa a la criolla para la mesa, y una manzanilla para mi habitación.

Rara vez cenaba con alguien, y cuando lo hacía, los

comensales parecían gente importante, por la manera de vestir y por lo intenso de los ademanes durante la cena. Siempre amable, el octogenario tenía una sonrisa cansina para Verónica, y sus propinas eran exageradamente generosas. Después de la cena, daría una vuelta cerrada por la plaza San Martín para hacer la digestión y subiría a su habitación en el tercer piso del hotel para seguir revolviendo folios y escribir cartas a Cuba.

—¡Servicio! —dijo con voz firme Verónica mientras sus nudillos golpeaban la enorme puerta de la habitación.

—Pase, pase... Ponga la manzanilla sobre la mesa de noche, por favor.

La habitación tenía encendida solo la lámpara de la mesa que fungía como escritorio. Rollos de cartón conteniendo grabados y pinturas yacían desparramados por todas partes y, en el centro, la figura elegante del doctor Quijandría que vestía una bata de seda negra sobre unos piyamas también de seda oscura, sin faltarle una bufanda roja agazapada en la garganta. Los muebles antiguos, la voz de gangosa de Bola de Nieve desprendiéndose del Grundig y la presencia algo más viva del doctor Quijandría le dio la sensación de haber entrado a un mundo retro.

—¿Algo más, señor Quijandría?

—Una sonrisa de buenas noches... No se ha muerto Fidel todavía, ¿no?

—Buenas noches —contestó Verónica, regalándole lo mejor de su rostro afable, aunque sin saber qué responder.

Al cerrar la pesada puerta, hizo una mueca de incredulidad. *Coqueto el viejito... ¿y esa pregunta?* Todavía guardaba esa sonrisa regalada al dirigirse al ascensor cuando le pareció escuchar un zumbido dentro de la habitación 366. Volteó la cabeza como impulsada por un resorte. *Cojudeces... para los turistas*, y siguió su camino hacia el ascensor. Verónica ya había notado que un aliento frío (que atribuyó al aire acondicionado) se desplazaba por el alargado corredor y se le pegaba ligeramente sobre la nuca.

Tres

Otro día de trabajo esperaba a Verónica en el Gran Hotel Bolívar dentro de una tarde que agonizaba en la penumbra. Lima nunca se pone oscura de sopetón, como en otros lugares, aquí las tardes se apagan muy lentamente como si algún luminotécnico perezoso regulara el arte de la luz insomne. La garúa fría de esa tarde astillando su cara hacía sus pasos más lentos. Le hubiera provocado lanzar una mirada rabiosa al cielo en señal de protesta, pero sabía que nadie respondería y solo hallaría opacidad húmeda. Si hubiera leído su horóscopo, podría haberse enterado de que para una persona del signo Libra, como ella, el derrotero del día ya estaba desbalanceado.

No bien terminó de ponerse el delantal negro, cuando una algarabía de mercado indio la llevó con premura al bar del hotel. Era Julio Del Alba, escritor peruano, gesticulando con los brazos levantados como nadando contra la corriente y vociferando sobre la cara de la joven mesera que no atinaba a reaccionar ante tal despliegue iracundo de ira masculina.

—Señorita, le he pedido un pisco sour catedral y me ha traído usted una capillita. ¿Ya no se puede tener un buen servicio en este hotel? —gritaba Del Alba moviendo sus brazos enfrente de su cuerpo. Verónica fue al rescate de su desorientada compañera que no atinaba calmar al ríspido comensal que ya tenía fama de malcriado y altanero.

—Lo siento mucho señor, ahorita se lo traigo —dijo Verónica retirando el vaso de la mesa. Presurosa le fue a increpar al barman del hotel.

—Jaime, un catedral, pues hijito, ya sabes o te lo deletreo: seis onzas de quebranta, tres onzas de jarabe de goma, tres de jugo de limón, una clara de huevo, cuatro cubitos de hielo y dos gotas de amargo de angostura, tú ya sabes, no me jodas la tarde.

—Aplicadita la compañerita —contestó sonriendo el barman bajito y enjuto.

—Este cliente es uno de esos que siempre anda de mal humor. Tipo raro. Así que aplícate tú.

—*Okay*, disculpa —le dijo guiñándole un ojo.

Mientras esperaba el trago y observaba los malabares de prestidigitador del barman para atender su orden, Verónica recordaba las palabras de Dari: «Aquí, en el Bolívar se creó el pisco sour catedral. Dicen que es mejor que el del Hotel Maury, donde se originó el pisco sour... Es una versión más potente que la original… se hizo para los cucufatos y pisqueros limeños de alta alcurnia… Después de asistir a la misa dominguera en la catedral, se desplazaban caminando por el jirón de la Unión hasta el Bolívar (era parte de su rito de exhibirse como buenos católicos) y como no tenían mucho tiempo entre la misa y el almuerzo familiar, pedían un pisco sour doble. Los mozos ya sabían: "Ya vienen los de la catedral", de ahí el nombre».

—Gracias princesa. Ahora sí me caes bien y con otro catedral, te voy a adorar.

Verónica no le dio importancia al comentario y se alejó de la mesa dejando a Del Alba revolviendo libros y papeles desparramados sobre la mesa alrededor de su ordenador portable, mientras se le vidriaban los ojos al sentir como la lengua bailaba alocadamente al contacto con su trago. Julio Del Alba le explicó que era escritor y que estaba empezando su cuarta novela, *Noche negra en el Bolívar*. Verónica calculó que el hombre tendría quizá unos cuarenta años y que era un majadero que se las daba de mucho y que hasta de repente decía que era escritor para que aceptara todas sus impertinencias. «El hombre que dice que es policía, es para que le tengas miedo o creas que es un super héroe. Si dice que es escritor, es para hacerte creer que es un loco bueno», le comentó Verónica a una de sus compañeras. «Me cae mal. A veces mira mi cuerpo como si fuera a criticarlo. Sí, me cae mal».

Calmado el alboroto, Verónica se preguntó si este tipo de situaciones también se habrían dado en las mejores épocas del hotel. Imaginó que sí, pero no por la tontería del tamaño del trago. Se dirigió a la esquina íngrima y escondida en la que estaba esperando ser atendido el huésped que ella y sus compañeras llamaban "el hermoso". Atenderlo siempre era una manera de buscar un respiro dentro del ajetreo cotidiano.

—Buenas tardes. ¿Qué se va a servir caballero?

Se alzó la penetrante mirada de un sujeto de tez blanca y dibujada barba rala que apretando los labios finos se acomedió a responder con suavidad:

—Solo un té con limón, por favor. Me gustaría ordenar la cena para mi habitación.

—Sí, como no… Le traigo el menú y yo misma le llevo lo que ordene.

—Gracias.

A este huésped, que había llegado hacía tres días al hotel, Verónica sí le tenía aprecio. Ella notó que siempre escogía la misma mesa que daba a la avenida La Colmena, casi en un rincón, como intentando cierta invisibilidad. Sus modales eran como los aleteos de un cisne elegante pero que no quería ser notado. Su mirada tímida y esquiva, sin un ápice de agresividad, en un rostro de rasgos muy finos, acompañaba una voz azucarada y de tonos bajos.

—¡Servicio…!

—Pase, pase, por favor… ponga el azafate ahí —le dijo apuntando a la mesita de noche—. Me sirvo después, cuando tenga hambre. Gracias. Pensará que soy un engreído causando molestias al personal de este gran hotel.

—No señor, de ninguna manera. Aquí estamos para servirlo —dijo Verónica acomodándose sus enormes gafas.

—Eso suena muy bien, viniendo de una mujer tan guapa. Gracias.

Verónica sintió que la sangre se le subía de golpe a las mejillas, le agradó lo que escuchó y se atrevió a lanzar una pregunta para evitar evidenciar su sonrojo.

—¿Está aquí de vacaciones o trabajo?

—Trabajo. Estoy dando unas conferencias en el Centro de Convenciones.

—¡Ah! —Verónica aprovechó para observar varios libros sobre la cama.

—Conferencias, ¿sobre qué?

—Temas relacionados al género. Soy parte de la conferencia sobre las percepciones de la sexualidad y el género en América Latina.

—¡Ah! Interesante… —En ese momento Verónica sintió que tenía que salir de la habitación. De paso al ascensor, todavía sin admitir que el conferencista no solo le caía bien sino que también lo veía atractivo, escuchó otra vez el zumbido de la noche anterior, esta vez más claro, proveniente de la habitación 366. Instintivamente volteó el rostro, arqueó las cejas, se detuvo dudando si debería acercarse a la puerta del cuarto para escuchar mejor. *¿Habrá alguien?*, se preguntó, pero continuó su camino.

Ya en su casa de Puente Piedra y después de haberle leído a Pablito su versión de *Moby Dick*, una ballena con un genio del carajo, Verónica retomó el monólogo nocturno enfrente de la foto de su abuela. «Dari, espero que no te molestes si te cuento que me gusta uno de mis huéspedes del hotel... me cae bien, es muy suave y un poco tímido, ya me dijo que era bonita... Algo más... Hay algo raro en la habitación 366... He escuchado ruidos, zumbidos y supuestamente esa habitación está clausurada para el público. ¿Qué debo hacer? ¿Debo informar al jefe de servicios hoteleros? ¿Qué pensaría? ¿Que me creo el cuento de los fantasmas? ¿Que estoy buscando llamar la atención...? Perdona Dari, pero no quiero pecar de cojuda... Quizá debería constatar por mí misma de qué se trata y luego informar si es que hay algo que informar. Un beso Dari, un día, diría, interesante».

Al día siguiente, ya sin garúa, pero todavía con la sempiterna amenaza de llovizna con nubes bajas que insinuaban desprenderse diminutamente en cualquier momento, Verónica llegó al hotel con la convicción de seguir brujuleando el misterio de los ruidos en la habitación 366. Una vez terminada la jornada de trabajo, que pasó sin mayor novedad, excepto por la cantidad de clientes buscando arroparse con un pisco sour en esa tarde fría, tomó el ascensor portando la llave maestra que daría respuestas a su curiosidad. Ella no creía en fantasmas a pesar de sus conversaciones con su difunta abuela. *Dari no es un fantasma*, se decía como queriendo subsanar el tema.

Puso el oído sobre la puerta y solo escuchó el rasgueado de sus argollas haciendo contacto con la madera. Agitó los nudillos sobre la puerta como quien tiene muy poco tiempo para esperar una respuesta, contuvo la respiración y entró en la habitación cruzando el umbral con rapidez. Cerró la puerta tratando de no hacer demasiado ruido. Con su espalda pegada a la puerta cerrada, sus ojos de lechuza miope se abrieron y cerraron diseccionando el recinto. Todo olía a humedad guardada y el silencio cubría la habitación como abrazándola. Una nimia luz artificial se escurría desde la ventana que daba a la plaza San Martín iluminando los rostros antiguos en los cuadros de pan de oro. La alcoba mantenía el perfecto orden y los mismos muebles de las otras habitaciones con su inmensa cama de caoba, las mesitas de noche de mármol y madera, la roja y coqueta lámpara, la alfombra de colores transitados; pero, además, todo estaba cubierto por una capa de polvo sedoso. *Los fantasmas nunca aparecen cuando uno los busca,* arguyó sin apartar la mirada de la cama. Se acercó al borde de la misma, la quedó mirando buscando huellas de existencia humana. *¿Qué estoy haciendo aquí? Esto es una tontería... No me basta con mis problemas de supervivencia, ahora estoy buscando huellas del más allá. ¿Quién habrá arreglado la cama tan perfectamente?,* se preguntó regresando al mundo de los vivos y de lo posible. Se disponía a abandonar la habitación cuando el mismo tufillo helado que antes la perturbó en el corredor, la golpeó otra vez la nuca. Se tocó la parte trasera de la cabeza con dos dedos y salió al pasillo.

Eran cerca de las once de la noche cuando abandonó el hotel. Las calles del centro histórico estaban todavía llenas de personas que caminaban con parsimonia en grupos pequeños. Mientras ella buscaba el origen del zumbido fantasmal, los limeños habían estado protestando por el caos vehicular y por el cobro del peaje por entrar y salir de sus barrios: si querían ir a trabajar, tenían que pagar; si querían regresar a sus hogares, tenían que pagar. Los panfletos y pancartas que aún rodaban por las calles empujados por una ventisca irregular, poco antes fueron acompañados por voces estentóreas de una protesta masiva, y a esta hora solo rodaban como basura y mustia señal de que algo estaba pasando en esta ciudad que se resistía a vivir en el caos. Un panfleto se le enredó en los pies: *"¡Mudo de mierda, habla!". "¡Coimero!".* Se libró del papel casi dando unos pasitos que parecían sacados de algún baile. «Sí, ¡habla carajo!», musitó.

—Disculpe, señorita, una colaboración para los damnificados.

—¿Cuáles? —Verónica le lanzó una mirada de alerta a la jovencita que puso frente a su cara una lata de leche vacía que operaba como alcancía. Trababa de adivinar si estaban robándole o si era una legítima voluntaria de una buena causa.

—Los afectados por los desbordes de los ríos Rímac, Chillón y Huaycoloro...

Verónica, sin abrir su cartera, hizo un rápido cálculo mental de su dinero y esbozando una sonrisa que no quería regalar, le dijo:

—No tengo sencillo, otro día será, lo siento.

—*Okay*, compañera... Lima se está yendo al carajo, estamos prisioneros de los peajes, los coimeros y los desbordes de los ríos, ya se cayeron treinta puentes... Todos tenemos que ayudar.

Las dos horas y media que le costaba normal y estoicamente llegar a su casa, esa noche se convirtieron en tres horas y media debido a la restricción del tránsito vehicular por los rezagos de la manifestación popular y la caída de los puentes que conectaban el centro histórico con los barrios populares, como Puente Piedra. Si bien su mal humor no mejoró, tuvo tiempo para analizar su experiencia noctámbula en la habitación 366. Dio varias vueltas mentales a su aventura y concluyó que no había encontrado nada y que todavía tenía muchas interrogantes: *¿Y los zumbidos? ¿Y el frío aliento en su nuca? ¿Qué eran esos ruidos (parecidos a un vibrador, jajajaja)? Cojudeces, nada que informar.*

Llegando a su casa, fue directamente a la cama de Pablito, se acurrucó junto a su cuerpecito y mientras acariciaba su frente, sus pensamientos vagaron otra vez hacia la habitación 366 y murmuró con suavidad: «No hay fantasmas Pablito, no hay fantasmas», hasta que los ojos se le cerraron pesadamente llevándola a una profunda dormidera de sueños inquietos donde se mezclaban huéspedes aristocráticos, clasemedieros y los que ya conocía, todos intentando cruzar el Puente de Piedra construido en 1608; redobles de tambores se mezclaban con el aullido de quenas, los silbatos policiales aumentaban el bullicio, la gente entre alocada y desconcertada solo quería llegar al otro lado.

Cuatro

Del Alba revolvía papeles en su mesa, bebía grandes sorbos de su pisco sour catedral, se sobaba las mejillas con las dos manos, pestañeaba como semáforo malogrado y no lograba la calma suficiente para continuar más allá de la frase con la que había empezado el primer párrafo: "Para la mujer del 366 su soledad era su recinto más sagrado". Al decidir escribir su novela encerrado en este corpulento edificio del pasado tratando de absorber la atmósfera que Fernando Ampuero narró con practicidad y estilo en *El peruano imperfecto,* quizá se imaginó que podía otear meseras y botones muriendo en cámara lenta con el Gran Hotel Bolívar, mientras seguía las pistas de los eventos extraños acontecidos casi medio siglo atrás. Sin embargo, lo que veía era un enjambre de bien intencionados y serviciales trabajadores tratando de resucitar un gigante y hasta parecían felices. Si todo el personal, viejo o joven, era lo suficientemente zalamero y eficiente, Verónica emanaba además una beatitud sensual, que no iba con el hotel que se moría a tropezones, según él. Ver a Verónica revolotear entre las mesas y sillas del bar como una elegante mariposa de mágicas alas blanquinegras, le hacía perder la concentración, hubiera querido mirarla diferente, pero no podía. Por alguna razón que no lograba entender sentía envidia de su frescura y su presencia ajena a sus torbellinos mentales. De ahí en adelante, solo quería llamar su atención para maltratarla. ¿Qué culpa tenía esta mujer de sus debacles amorosos y literarios?

Si tu casa es tu cuerpo grande, según el poeta Kahlil Gibran, el armatoste del Bolívar pertenecía a muchos cuerpos famosos que ya no existían. Los que le daban vida eran este enjambre de dedicados trabajadores, entre ellos Verónica, que obraban como un suero salvavidas dentro de su cuerpo *in extremis.* Transitar por los corredores del Bolívar debía darle a Del Alba esa sensación del pasado que ya no podía encontrar en el centro histórico donde todo lo arquitectónicamente interesante estaba en ruinas. Y, sin embargo, refugiarse aquí para escribir una novela de misterio le estaba resultando difícil, no sentía nada, todo parecía una pieza de museo mal conservada y era casi imposible ubicar a sus personajes en ese pasado misterioso y opulento. Todo le fastidiaba y ya iba bien retrasado con los plazos de la editorial. ¿Era el hotel? ¿Era Verónica? ¿O era él... ya sin imaginación desde su divorcio y las presiones de la casa editora? ¿Qué le pasaba?

—¡Señorita, otro catedral!

Tendido sobre la cama, sin haber removido las cubiertas, el doctor Quijandría tenía sus manos cruzadas sobre el pecho y dejaba que el Grundig siguiera cubriendo el cuarto con la voz de Bola de Nieve interpretando Babalú. Parpadeó hasta tres veces tratando de tararear la canción, al final solo logró acordarse de la famosa frase del cantante: "Yo soy un hombre triste que me paso la vida muy alegre". *¡Quién como tú!,* se dijo acomodando sus pensamientos hacia el techo de la habitación. *Ya está listo el embarque... Espero que llegue antes de que Fidel se muera. Estamos muy cerca del final mi querida Winifred. Conspirar contigo siempre fue un placer... Debería ir a tu habitación, dejarme caer en la sombra tenue de tu cuerpo... Ya estamos cerca,* habló en sus pensamientos. Medio adormitado, pasaron delante de él todos los engorrosos trámites que había tenido que hacer por más de dos años, desde su última visita a La Habana. Dada la animadversión entre el gobierno estadounidense y el de Cuba, las piezas de arte deberían salir de su departamento en Nueva York hacia Lima y de ahí a México y llegar, finalmente, a La Habana. No había sido sencillo, ni tampoco barato, pero ya faltaba poco para embalar sus más preciados tesoros: minotauros de Picasso, *Torso blanco* y *Torso azul* de Matisse; dibujos hechos por pintores mexicanos de Kahlo y Orozco; las danzas populares de los cubanos Gracia Rivera y Carreño; retazos de telas de Nazca-Paracas, máscaras africanas de Angola y el Congo representando infinidad de espíritus, la belleza femenina y la muerte; varias piezas de marfil de China, destacando entre ellas una bola erótica que nunca supo cómo usar. «Pronto ya no estaremos aquí Alberto, ¿has pensado qué vas a hacer con tanto arte que tienes en New York?», le había preguntado Fidel hacía dos años después de una larga noche de mojitos en la Bodeguita del Medio. No le contestó nada en ese momento, pero sí se acordó cuando le planteó una pregunta similar al comienzo de la Revolución. «¿Qué vas a hacer con tanta medicina a tu disposición en New York?». El doctor Quijandría se dedicó a la tarea de hacer llegar las medicinas necesitadas por el frente guerrillero. Después, se encargaría de las medicinas que los hospitales cubanos no podían obtener debido al embargo impuesto por el gobierno de los Estados Unidos. Por esa época era más fácil contrabandear balas que medicamentos y el doctor Quijandría asumió su cometido con dedicación y pasión como cualquier otro revolucionario. «No todos los doctores pueden ser como el Che, pero somos igual de necesarios», le dijo en esa época a Winifred, su amante conspiradora.

Fidel y Alberto Quijandría se conocían desde su camaradería juvenil en la Universidad de La Habana y se permitían confidencias muy personales. Por ejemplo, el doctor Quijandría le advirtió que no se metiera con la alemanita Marita Lorenz, de dieciocho años, que andaba de calentona en La Habana de 1960. Años después ella regresaría para intentar envenenar a Fidel por encargo de la CIA. *"¿Quién dice que el amor no mata?"* fue la escueta nota que le hizo llegar desde New York a propósito de ese *mortal love affaire* de Fidel. También le aconsejó que se tomara más fotos con Hemingway al notar en la revista *Life* que la misma foto entre Fidel y el famoso escritor aventurero se repetía varias veces en la edición, pero siempre con la misma camisa tropical de Hemingway. El encuentro publicitario entre Fidel y el escritor se había producido solo en un día. Alberto Quijandría, sabedor de la importancia de Hemingway y su impacto en la opinión pública norteamericana, notó este detalle de la camisa y le hizo llegar otra de sus notas clandestinas con sentir fraternal. *"Más fotos con Wax Puppy o al menos cámbiale la camisa"*.

Su conexión con el Hotel Bolívar empezó por esa época. Quién iba sospechar que un ricachón cubano-neoyorquino estaría conspirando a favor de la Revolución cubana desde el corazón de este palacete más importante que el mismo Palacio de Gobierno peruano. Aquí, con sus maneras caballerosas y zapatos italianos del diseñador Diego Della Verde, Quijandría se sentía cómodo cuando tenía que bajar al bar del hotel y descubrir que sus mojitos y sus daiquiris habaneros podrían ser reemplazados cómodamente por un pisco sour catedral en medio de gente importante, tan mundana como él.

El doctor Quijandría siempre pensó que existía un paralelo casi dialéctico entre el bar la Bodeguita del Medio de La Habana, donde se inventó el mojito, y el bar del Bolívar, donde se creó el pisco sour catedral. En el primero, el aroma de la menta fresca se sentía desde la entrada; en el Bolívar era inevitable no sucumbir al efluvio característico de los limones norteños desprendiéndose a cada paso de las alfombras belgas; ambos edificios se ubicaban en los respectivos centros históricos, muy cerca de sus catedrales, ambos hablaban de otras épocas. La gran diferencia la ponían los parroquianos y los temas de conversación de estos, antes y ahora. Los estirados y mundanos comensales aferrados al poder del dinero y al cine habían desaparecido del Bolívar. Los nuevos consumidores ahora hablaban de fútbol, de Miami, de cómo iban a regresar a sus casas en medio de manifestaciones, protestas, inundaciones y si el alcalde de Lima era mudo realmente, tímido o un déspota coimero de mierda. En la Bodeguita del Medio, los habaneros y los visitantes extranjeros, sobre todo españoles y franceses, todavía hablaban de la Revolución sin revolución, de un mundo alternativo para todos y sobre todo de literatura. Los famosos bebedores pasan, el buen trago se queda para siempre, en Lima y en La Habana, concluía Quijandría.

Cinco

Sebastián Aróceda había nacido con cuerpo de mujer, había jugado a las canicas, mataperreando con sus otros hermanos varones por las calles empedradas del barrio de San Telmo, en Buenos Aires; era hincha acérrimo del Club San Lorenzo de Almagro (el equipo preferido del Papa) y a pesar de su rapidez y manejo de la pelota nunca fue aceptado como un buen jugador, porque se le veía como mujer. Sus hermanos y compinches lo llamaban a jugar al fútbol solo cuando necesitaban llenar el equipo. Cuando decidió ser el hombre que siempre había sido, y dejar que la carcasa femenina desapareciera gracias a la ciencia, ya sus hermanos no jugaban con el balón, se habían convertido en espectadores, pero él continuó con aquel fervor futbolístico, jugando de mediocampista cuando su aglomerada agenda se lo permitía. Gozaba con los partidos de fútbol a la manera villera de sus ahora congéneres, y hasta lisuras podían salir de su boca; aunque, después de todo, él era un muchacho fino. No entendía la agresividad de su nueva tribu. Todavía se le hacía muy difícil ser un hombrecito de modales refinados e ideas radicales, sobre todo acerca de la sexualidad, en un mundo de hombres trogloditas. Desde los trece años, cuando entró a su transición hormonal, lo peor no había sido las cuatro inyecciones por mes en los glúteos, los parches o las píldoras, sino entrar y entender el abigarrado mundo masculino.

Cuando le propusieron venir a Lima como ponente en la conferencia sobre las percepciones de la sexualidad y el género en América Latina, escogió hospedarse en el Hotel Bolívar porque quedaba cerca al Centro de Conferencias, era tan antiguo como los edificios de su barrio de San Telmo y porque nunca se sintió cómodo con la algarabía plástica de los hoteles más modernos. Aquí en el Bolívar buscaba reclusión. Le habían contado que en el Bolívar pululaban fantasmas. ¿Acaso no había sido un fantasma los primeros dieciséis años de su vida, viviendo en el cuerpo de alguien que no era él? Aquí se sentía cómodo, como tentando a ciegas un mundo desaparecido y uno nuevo ciertamente nebuloso.

En el Bolívar, le gustaba encontrarse con Verónica y verla como la mujer que él/ella hubiera sido. *Si hubiera sido mujer, me hubiera gustado ser como ella. Fuerte, despabilada. ¿Cómo hago para que me vea? ¡Me gusta!*, se dijo al observar a Verónica manejándose entre turistas, comensales ocasionales y bebedores habituales del Bolívar, con mucha gracia y presteza, deslumbrándolo con la geometría de su cuerpo en movimiento. Para él, Verónica era no solamente la damisela que pudiera haber sido, sino un cuerpo que le gustaría tocar como hombre, y esto lo alteraba. Sin embargo, no se sintió muy bien cuando la vio salir de la habitación 366 a altas horas de la noche. Una tristeza y muchas preguntas lo acompañaron a dormir esa misma noche. *¿No es esta la habitación poblada de fantasmas de otra época...? Todos los fantasmas son de otra época... Seguro que se encontró con su amante... ¿quién soy yo para juzgarla?*

Seis

Era un jueves, cuando Verónica decidió navegar una vez más por las catacumbas de su curiosidad y después de la jornada de trabajo subió otra vez a la habitación 366. En ruta a la caza de respuestas, repasó en su mente los posibles sospechosos de un uso furtivo de esa habitación, porque, después de todo, creer en fantasmas es un recurso desesperado, cuando ya no hay sino la fe para explicar lo inexplicable. Verónica estaba casi segura de que eran humanos los causantes de tantas trapisondas invisibles.

Empezó con quienes tenían acceso a la llave de la habitación. Apareció primero la jefa de meseras: *¿No se estará tirando unos polvitos con estilo esta madura matrona? Tiene derecho, pero ¿con quién...? ¿Con el jefe de servicios? Él también tiene acceso a las llaves... Ah, y el truquito de los fantasmas sería para despistar... podría ser... En Lima siempre es peligroso ir a los moteles que abundan en cualquier esquina de todos los distritos. Los hay de diez soles y se hace contra la pared, de veinte soles y ya tienes cama con sábanas tipo chicharrón de prensa y papel higiénico de tela de araña, pero claro, siempre es jodido ir a lugares en que el ojo mal agüero de los que te conocen te puedan arruinar el escape divertido, y hasta te pueden asaltar... Aquí estarían seguros y con mucho estilo, me los imagino usando la misma cama de Cantinflas... Sí, un polvo gracioso y con estilo... ¿Y el viejito del sindicato? No, ese no, ya se le pasó el tren y ni con Viagra de mil miligramos (que no existe) podría... además ¿con quién? ¿con la misma matrona?, no, muy bichoco para estos menesteres de la carne.*

Con estas preguntas y aseveraciones llegó a la puerta de la habitación 366 y sin mayor trámite la abrió entrando raudamente. Otra vez el tufo húmedo de la habitación se le coló por las narices, apretó los ojos por unas fracciones de segundo y hasta trató de no respirar para evitar que el nudo de aire denso le causase un soponcio repentino. Instintivamente, palpando la oscuridad, se dirigió a la cama de caoba, la toqueteó y hasta la admiró en todo su esplendor de historias pasadas. Decidió echarse sobre ella. Su cuerpo se distendió y le agradó la sensación de abandonarse por completo sobre el mullido abrazo del colchón. Por un momento se olvidó de su misión y se dejó absorber por la necesidad de simplemente descansar. Sus brazos se estiraron hacia arriba, a la vez que relajaba su figura, terminando con un intento de agarrar el aire pesado de la habitación entre sus dedos crispados. Estaba lista a dejar escapar un profundo *¡aaaah!* cuando el zumbido que había escuchado antes desde lejos reverberó muy cerca de sus oídos. Le tomó varios pesados segundos mover sus manos hacia la almohada y levantándola de un sopetón encontró un teléfono celular. «¡Mierda!, ahora los fantasmas son digitales!», casi gritó.

El teléfono seguía vibrando y sonando como poseído por

un insistente demonio cibernético. Medio acostada lo cogió con sus dos manos para ponérselo frente a su cara atónita. Apretó el botón para aceptar la llamada y pudo ver en la pantalla un vestido blanco de *organza* tendido sobre la cama en que ella se encontraba. El vestido parecía habitado por un cuerpo de mujer a la cual no se le veía el rostro, ni las formas femeninas. Era como si hubiera sido inflado de antemano y flotase sobre la cama aristocrática. Verónica abría los ojos, pestañeaba, su rostro hacía muecas de incredulidad, hasta que terminó por apagar el teléfono y tirarlo sobre la cama. «¡*Vade retro!* o como mierda se diga».

Como siempre sucede cuando las personas se hallan con una respuesta no esperada, enfrentando una realidad que su cerebro no acepta, Verónica trató de ser más racional aún. Buscó una explicación a este hallazgo usando la información que ella poseía, la cual, dicho sea de paso, no era sino difusa y basada en suposiciones. Alguien lo colocó ahí. Los teléfonos no se transportan solos. ¿Quién lo puso en este cuarto y con qué finalidad? Se acordó de la cara sudada del jefe de servicios al pasar delante de la habitación… ¿Y si fuera uno de los personajes que se quedaban en el hotel? Su mirada recorrió la habitación una vez más, empujó el teléfono con las puntas de los dedos hasta dejarlo debajo de la almohada, arregló las arrugas de las cubiertas y salió de allí, no muy segura de lo que acababa de vivir. En su cerebro sentía un vacío que no la dejaba pensar claramente. Cuando pasó por delante del bar del hotel en dirección a la salida, lo que vio o creyó ver, terminó por aumentar su perturbación: Los pocos bebedores noctámbulos en el bar eran los mismos que dejó en ese lugar varias horas atrás y todos parecían petrificados dentro de una neblina de humo gris. «Más fantasmas, carajo», se dijo apresurando sus pasos hacia la puerta del edificio.

En su habitación de Puente Piedra, desnuda y cepillándose su larga retinta cabellera, Verónica trataba de razonar con Dari. «Dari: tú no eres un fantasma. Tú eres parte de mi vida. No apareces y desapareces, siempre estás aquí conmigo. Tú lo dijiste: "Estaré siempre contigo". Te imagino sonriendo con mis ocurrencias, siempre te reías a carcajadas con mis salidas de niña precoz, tú estás aquí conmigo escuchando ahora mis cojudeces de niña adulta, ¿verdad?... ¿Sabes lo que voy a hacer? Voy a interrogar a los tres comensales que se quedan en el tercer piso, puede ser que uno de ellos sea el causante de todo este fantasmagórico bolondrón. Un beso, Dari. Cuidame a Pablito… Ah, se me olvidaba decirte que Lima está cada vez peor».

Al día siguiente puso en marcha su pliego interpelatorio conforme iban apareciendo los comensales de la lista que tenía en su cabeza. Llegó puntual para la cena, como siempre, el doctor Quijandría. Verónica se le acercó y después de los protocolares saludos, le lanzó su primer dardo de preguntas.

—Disculpe señor Quijandría… Usted es una de las pocas personas que sigue hospedándose en el hotel desde hace mucho tiempo, ¿verdad?

—Sí, mi querida señorita, vengo aquí desde la época del sesenta.

—¿Conoce entonces lo que sucedió en la habitación 366?

—Sí, esa historia es muy triste para mí.

—¿Por qué?

—Allí dejó sus últimos suspiros mi querida Winifred. —El doctor Quijandría movió sus manos nerviosamente buscando sobre la mesa un vaso que no existía.

—Perdóneme, no quería importunarlo.

—Éramos amigos muy íntimos, viajábamos juntos por el mundo. Le hubiera gustado a ella ver lo que ahora estoy acabando por fin… pero fue su decisión…

—Espere un segundo, le traigo su daiquiri.

Verónica regresó decorando el daiquiri con una radiante sonrisa, lo puso sobre la servilleta para que el fresco sudor del vaso no dejara marcas sobre el blanco mantel. El doctor Quijandría lo tomó con las dos manos buscando calmar un ligero temblor que parecía anunciar un Alzheimer por venir.

—¿Ya se murió Fidel? —preguntó después de paladear con suavidad su trago.

—No sé —contestó con celeridad Verónica tratando de evitar que Quijandría cambiase de tema—. Me estaba hablando de Winifred…

—Winifred y yo hicimos muchas cosas por Fidel. Nuestra última misión estoy por acabarla sin ella… Ya no hay mucho tiempo.

—Siento mucho lo de su amiga, ¿cómo murió?

—Fue un jueves como el de Vallejo, pero aquí en Lima nunca llueve como en París. Me acuerdo claramente porque por esa época dio un golpe de estado el general Velasco Alvarado, había tanques por todas partes, especialmente en el centro histórico, no podíamos salir a ninguna parte. Había gente en el hotel que temía por su vida y sus haciendas. Muchos trataban de comunicarse con la embajada de los Estados Unidos desesperadamente. Nosotros nos reíamos y les decíamos que lo único que tenían que hacer era hablar con sus compañeros de juerga en el hotel porque todos eran espías. Nos quedamos encerrados aquí por tres días. La noche de ese jueves hicimos el amor más tierno y salvaje de mi vida. Me dijo que le habían diagnosticado cáncer al hígado, ese cáncer que todos saben que es fulminante. Se puso su vestido blanco de fiesta, me dio un tierno beso en la frente y se fue a dormir para siempre a su habitación, a escoger su muerte. Ella siempre fue así, ella escogía los escenarios de su vida. Me escogió a mí, y también escogió cómo morir. Pidió una manzanilla para poder dormir para siempre.

—Ah, se envenenó.

—Se fue a dormir para siempre.

—Si eran amantes, ¿por qué tenían dos habitaciones separadas en el hotel?

—Esa es una larga y complicada historia de amor.

—El vestido blanco, era de *organza*, ¿no?

—Sí, ¿cómo lo sabe? —junto con la respuesta y pregunta de Quijandría, Verónica recibió una mirada que le penetró el cerebro hasta el otro lado.

—Perdone, yo soy nueva aquí, hay rumores, historias… y yo…

—No se preocupe. Otro daiquiri, por favor. Hoy creo que no voy a cenar.

—Sí, cómo no.

Verónica se dirigió al bar y mientras esperaba el trago, pudo observar al doctor Quijandría tratando de mantener su cuerpo erguido y elegante, mientras que un cúmulo de recuerdos le achataban la espalda. No hay peor memoria que la que se quiere borrar.

Entonces, ya sabía algo más. El vestido blanco de *organza* era con el que murió Winifred, la amiga íntima del doctor Quijandría. Si existía un ánima recorriendo sus pasos en la habitación 366, esa tendría que ser Winifred, nadie más había dejado de existir en esa habitación con vestido blanco de *organza*. Dari le dijo alguna vez que los espíritus solo se aparecen en las casas vacías, como en este caso la habitación 366, y cuando tienen algo que decirnos. «Siempre queda algo que decir; ya que la muerte, por más calmada que se presente, siempre nos apura». Verónica razonó que si un fantasma penaba en la habitación 366, tendría que ser Winifred queriendo expresar algo. Sin embargo, en el mundo de los aparecidos aquello que la gente llama "lo real", debe tener otra lógica, concluyó Verónica, tratando de racionalizar sus hallazgos: *Nadie puede dictaminar cómo van a aparecer estos, no tiene que ser como en las películas de terror, moviendo sillas o cuadros y quebrando espejos. En todo caso, esos objetos son también producto de la tecnología humana. Quizá en estos tiempos, los espíritus puedan tener una mejor sinergia con otros objetos que antes no existían, después de todo siempre será más fácil irrumpir en una onda magnética que no se ve que en una silla que se desplaza, un espejo que se rompe o algún otro sólido objeto haciendo de las suyas. Esa es mi lógica explicación a los batiburrillos provocados por el teléfono en cuestión. Claro, que también podría ser que el doctor Quijandría lo puso allí como un recordatorio morboso u homenaje a su amada Winifred.*

No bien acababa de ordenar estos pensamientos con cierta pedantería intelectualoide, cuando divisó al hermoso Sebastián Aróceda esperando ser atendido en su acostumbrada esquina escondida. Verónica se aproximó solícita con el menú en la mano y algunas preguntas en su cabeza. Una duda se deslizaba, sin embargo, en una esquina de su cerebro: Cómo abordarlo sin dejar entrever su atracción por él y cómo no dejarle saber que era él un sospechoso más en su pesquisa sobre lo que acontecía en la habitación 366.

—Buenas tardes señor Aróceda, ¿qué se va a servir hoy?

—Hola Verónica. ¡Qué bien te queda esa blusa blanca!

—Oh, gracias. —Verónica supo de qué estaba hablando

Sebastián Aróceda cuando su memoria recaló en el espejo de su baño mostrándole su imagen coqueta.

—El blanco de la pureza insinuando un cuerpo de mujer…

—¿Trabajadora?

—Bella, Verónica, bella es la palabra.

—Ya me puso colorada, señor Aróceda… ¿Le gusta el color blanco también en los vestidos?

—Bueno, solo si estás tú en ellos.

—Está usted un poco diferente hoy día. ¿Está todo bien en el tercer piso?

—Si te refieres a la habitación 366, eso me lo dirás tú.

Verónica no pudo contener su reacción de sorpresa dejando caer el menú que venía apretando sobre su pecho.

—¿A qué se refiere?

—Tú sabrás Verónica, tú sabrás… Me gustaría un pisco sour catedral y una causa rellena con pollo, por favor.

—Creí que usted no tomaba licor… ¡Oh, perdone…! Ahorita se lo traigo.

En la esquina de la barra, mientras esperaba por la orden, Verónica reflexionó acerca de la información adquirida. Este era el espacio que necesitaba para sus soliloquios mentales. La información que acababa de recibir era ciertamente explosiva. Aparentemente, el conferencista bello sabía que algo pasaba en la 366 y también tenía cierta predilección por los vestidos blancos. Además, se mostraba muy misterioso al referirse a ella y la habitación 366: «Tú sabrás, tú sabrás». *¿Qué habrá querido decir mi sospechoso y galante huésped?*

Ya solo faltaba entrevistar al escritor cargoso, pero este no daba señales de vida. *¿Se fue del hotel al no poder encontrar la inspiración que necesitaba?* Ni bien terminó de hacerse esta pregunta cuando vio a Del Alba dirigirse a una de las mesas centrales del comedor. Venía mal trajeado, ojeroso, cargando una pila de papeles que luego desparramó sobre la mesa. Pidió que lo atendieran chasqueando los dedos en alto. Por supuesto que nadie le hizo caso, excepto Verónica que tenía motivos especiales para atenderlo.

—Buenas tardes, señor Del Alba, ¿le traigo un pisco sour catedral?

—Sí, por favor —le contestó sin mirarla.

Cuando Verónica regresó con el trago, Del Alba, ya organizado en la mesa, se apresuró a tomar un buen sorbo de su vaso, y luego, apretando las mandíbulas de puro placer, le dirigió la palabra a Verónica, que no se había movido del lugar buscando la oportunidad de cumplir su misión.

—Parece ser que hoy día sí nos entenderemos señorita Verónica.

—Espero que sí… ¿Cómo va su novela?

—Qué le puedo decir, la novela anda mal y, por consecuencia lógica, el escritor también anda mal. Este edificio debería decirme algo para inspirarme. Es como si al verme todos los espíritus que habitan este inmueble se hubieran puesto de acuerdo para desaparecer. Es como entrar a un *theme park* y no al pasado.

—Mi abuela solía decir que nunca aparecen los espíritus cuando se les busca… También se dice que cuando el escritor tiene un bloqueo es porque está confundido.

—Confundido ¿yo? Puede ser, puede ser. Yo no estoy escribiendo una historia de fantasmas o aparecidos, mi novela trata de una muerte extraña en la habitación 366, pero una habitación vacía no me dice mucho.

—¿Ha entrado en la habitación 366? —interrogó Verónica abriendo sus ojazos de noche infinita.

—Por supuesto que he visitado esa habitación. Es lo primero que hice cuando llegué al hotel. Todo escritor tiene que investigar.

—¿Y?

—Nada, fue como mirar una tienda de antigüedades.

—¿No sintió nada especial o diferente?

—No. Pero, como le dije, yo no escribo sobre fantasmas.

—Entonces debería hablar con el doctor Quijandría. Él vivió la historia que usted quiere contar.

—¿Quijandría? Me suena ese nombre —dijo buscando encontrar algo entre el revoltijo de papeles y su libreta de notas.

—¿Va a pedir algo para cenar?

—Otro catedral, por favor.

—Le traigo el menú también, en caso de que se le despierte

el apetito.

—Lo que necesito es despertar mi imaginación.

—Está confundido... ¿No habrá perdido también su celular? —preguntó Verónica con rostro incisivo, pero aun así tratando de parecer amigable y casual.

—No.

Verónica regresó al bar para ordenar el trago. *Este tipo está más perdido que clavo en el desierto... Lo saco de mi lista de sospechosos.*

Llegada las siete de la noche, Verónica se sentía exhausta después de haber zangoloteado de arriba a abajo atendiendo a los parroquianos de costumbre y de haber hecho de espía e investigador de fantasmas. Esperó que bajara la marea de bebedores en el bar y pidió permiso a la jefa de meseras para salir un poco más temprano con la excusa de que el caos en que se encontraba Lima por las manifestaciones, los puentes caídos y el tránsito cavernícola del servicio público, le habían impedido estar con su hijo durante la semana. La matrona aceptó a regañadientes: «Vaya nomás, pero no se acostumbre, todos estamos sufriendo lo mismo». Llegó a su casa justo a tiempo para leerle una historia a Pablito, que saltó en la cama como un monito de carretillero al verla entrar. «Hoy es viernes, ¿verdad? Es día de las brujas... ¿qué tal un cuento de fantasmas? Me gustaría *Los fantasmas también tienen miedo... a veces.* Ese libro me lo leía la abuela Dari».

Pablito se acomodó debajo del brazo de Verónica para poder ver los dibujos del libro y para sentirse cómodo junto a los latidos del corazón de su mamá. El niño quedó mirando con curiosidad la carátula del libro y preguntó:

—¿Por qué los fantasmas aparecen cuando todo está oscuro? Cuanto más oscuro, más fantasmas. ¿Quieren hacernos sentir miedo?

—A ver Pablito: los fantasmas no son malos ni buenos, son tímidos, por eso necesitan la oscuridad y, como lo vamos a ver en este cuento, también se asustan y lloran de miedo... *"Había una vez un fantasma en un castillo solitario. En el castillo más grande, más oscuro y más solitario que se puede imaginar vivía Bubuah, el fantasma. Sus gritos y aullidos eran tan terroríficos que podían helar la sangre de un dragón y el alma del mejor guerrero. Así se había convertido en el más famoso de los fantasmas, y así había conseguido que nadie quisiera acercarse al castillo. Lo que no sabía nadie era que Bubuah, en el fondo, solo era un fantasma llorón y miedoso. Como no quería estar solo y a oscuras, lloraba en cuanto se hacía de noche. Y como cualquier ruido le asustaba, chillaba con solo sentir los pasos de una hormiga. Y durante más de quinientos años no hizo otra cosa que llorar y gritar...".*

Pablito dejó volar su imaginación, sus ojos se le iban cerrando y la voz de Verónica iba desapareciendo dentro de un eco apacible, dando paso a una cadencia de sueño apretado y reparador. Como era ya su costumbre, Verónica lo arropó en su cama y le dio lo mejor de su tierna mirada, acompañada de una sonrisa más tierna aún, que le hizo encoger los hombros. Se dirigió a la cómoda, puso margaritas frescas, se quedó contemplando la foto de su abuela y después de un meditabundo silencio como para tomar fuerzas, dijo: «Tenemos que hablar, Dari...Yo no le estoy hablando a un fantasma, ¿verdad? Tú no eres un espíritu aullando penas, si nunca te quejaste cuando hacía canalladas infantiles, ahora menos, no hay penas cuando hablamos, solo mis quejas y mis laberintos... Tú nunca te fuiste y regresaste del más allá, simplemente estás en el mundo invisible, no otro mundo, estás en mi mundo que puedo tocar, sentir y también en este otro que no se ve, nuestro mundo tiene su lado visible y su lado invisible... Yo no tengo que esperar el Día de los Muertos para que las puertas de los dos mundos se abran y podamos conversar, ni tengo yo que contratar a un chamán verdulero para que se dé una fusión instantánea de dos mundos diferentes. Cuando se cerraron tus ojos y dejaste de suspirar y soñar en este mundo visible, te fuiste a soñar al mundo invisible... tú, que me estás soñando o yo que te veo en mis sueños, y ahí nos encontramos, en el mundo invisible, cuando nos soñamos. No me creas impertinente por asumir que tú sabes todo lo referente a penas, fantasmas, aparecidos y espíritus volando. Es que no logro entender lo que pasa en esa habitación del Bolívar: un teléfono celular aullando como una pena cibernética, un vestido blanco de una difunta que se suicidó y que aparece en el teléfono... Ah, y ese tufillo fresco soplándome en la nuca. Todo me dice que si hay algún espíritu, ese debe ser el de Winifred, la difunta amante del doctor Quijandría. Una muerte como la de ella sí puede crear un espíritu en pena. ¿O es que todo se debe a un ardid establecido por los pendejos del Bolívar que tratan de recrear un pasado que ya no existe? El pasado nunca existe, estamos claros, pero aceptar eso no es fácil, ni para la gente del hotel, ni para algunos de sus huéspedes, como el doctor Quijandría, y otros como él. Seamos claros, este hotel, "Hollywood en Lima", como lo llamabas, es en sí mismo un espectro de cemento y ornato ecléctico en una Lima que se descascara a pedacitos y que solo existe en la imaginación de mucha gente, esa Lima de los abuelos, como la llaman ahora, nunca existió. Ya me cansé de estas ambivalencias y misterios del otro mundo. Mañana voy a enfrentar el toro por las astas o, mejor dicho, a los fantasmitas por el teléfono».

Se despertó más temprano de lo acostumbrando y, mientras se duchaba, sus pensamientos vagaron alrededor de sus helados de lúcuma en el jirón de la Unión, a la parsimonia elegante con la que Dari la llevaba de la mano hablándole de los edificios aledaños al Gran Hotel Bolívar. Por esa época, ella todavía no había visto las películas en blanco y negro que su abuela comentaba cuando pasaban frente al hotel; por lo tanto, a su manera, imaginaba príncipes y princesas gozando a lo grande dentro del hotel: bailando ritmos desconocidos, comiendo frutas exóticas y hasta cantidades enormes de helados de lúcuma. Sus ojos de niña curiosa se detenían en la puerta del hotel, desde la cual se desprendían unas potentes luces multicolores y detrás de éstas, se veían los rostros dionisios y de ojos zarcos de gente de otras partes de la Tierra. Ante esa puerta de maravillas llegaban carruajes jalados por caballitos blancos. No, hasta allí no llegaban los tranvías, los omnibuses, mucho menos los alocados taxis, solo carruajes coloniales o limusinas negras más grandes que los Bussings, que luego desaparecían como halcones alados por arte y magia de la imaginación de una niña de nueve años. Ella nunca deseó otra cosa sino mirar ese enjambre de gente feliz, nunca intentaría ser parte de aquel esplendoroso lugar, porque así son las fantasías, uno se contenta con saber que existen.

Terminó de arreglarse frente al espejo y al notar que sus pezones empujaban traviesamente la blusa blanca, sonrió, porque se acordó del huésped bello: si los príncipes de su imaginación existieron en el Bolívar, tendrían que haber sido como Aróceda, y todo comenzaría con un vals vienés y terminaría con un helado de lúcuma que tomarían en la cama de caoba... *Sí Verónica, estás mezclando mundos y entuertos.*

Siete

Aquella mañana el movimiento de la informalidad comercial y el paso apurado de los transeúntes en el centro histórico tenía un descarrilamiento inusual. A la acostumbrada desorganizada presencia de los vendedores ambulantes ofreciendo chucherías que hacen que uno se pregunte cómo pueden sobrevivir comercializando cositas que nadie necesita, ahora se le sumaba la pintoresca multitud de venezolanos expatriados envueltos en su bandera tricolor, vendiendo arepas y refrescos tropicales, y como alteración de la rutina callejera, un fuerte contingente de la Policía Nacional con indumentaria de guerra. Todos se alistaban para llegar a donde tenían que llegar y vender lo que tenían que vender antes de que el caos ya existente se convirtiera en un pandemónium cuando los ciudadanos empezaran a protestar. Al final de cuentas, o te unías a la protesta o maldecías que ese día no podrías hacer tus cosas de siempre, pero igual serías afectado. Los policías ya se iban ubicando en puntos estratégicos del cuadrilátero del centro histórico para mantener la anunciada protesta popular dentro de los parámetros previamente acordados con los dirigentes. Pululantes altavoces montados en camionetas desbaratadas exhortaban a los ciudadanos a unirse a la protesta. "¡Puentes: reconstrucción!". "¡Tránsito seguro!". "¡Menos cemento, más parques". "¡Lima es nuestra y no de los coimeros!". Mientras tanto, un grupo de dedicados voluntarios levantaba un tabladillo en la plaza San Martín con una gigantesca bandera detrás del escenario. Desde aquí, las voces airadas de los más representativos dirigentes vecinales demandarían una "Lima para todos".

La tarde de su arribo a las puertas del Bolívar, Verónica venía de rendir sus exámenes en la universidad y se le veía cansada y absorta en sus propios pensamientos, pero aun así pudo percibir el aire frío de la plaza San Martín cargado de una tensión que la puso nerviosa. Pensó que probablemente esa noche no iba a poder regresar a su casa a leerle sus cuentos a Pablito. Antes de cruzar el umbral del hotel, echó una mirada al tabladillo y a la gigantesca bandera estirada y se preguntó por qué los manifestantes siempre traen esa bandera tan enorme. *¿Qué quieren decir? ¿Que no son chilenos? ¿Símbolo de unidad? Cuanto más grande la bandera, ¿más convicción en la lucha?*

Siete de la noche. Junto a los parroquianos de siempre llegaban al hotel los meones de la manifestación popular, algunos de estos se quedaban un rato más para consumir una cerveza o una gaseosa y luego volvían a la carga para seguir protestando. Verónica solo esperaba que aquel ajetreo pronto se acabase para realizar su cometido en el tercer piso, pero la entrada y salida de comensales y meones parecía nunca acabar. Por fin pudo hacerse de la llave maestra casi al final de su turno y apenas le dieron el visto bueno, se dirigió a la habitación 366. Una vez dentro de la habitación, fue de frente a coger el teléfono que irritaba sus oídos con su aullar cibernético. Aceptó la llamada y el vestido blanco apareció otra vez flotando etéreamente sobre la misma cama en la cual ella se había tendido boca arriba. Observaba el vestido con aguda curiosidad femenina, le llamaba la atención la textura de la seda, la luminosidad de su blancura, los detalles de la confección. Llegó a la conclusión de que estaba bien hecho, que era ciertamente hermoso y que su dueña tenía buen gusto, estilo y el don de atraer las miradas de los hombres procedentes de lugares ignotos. Por unos momentos su imaginación metió su cuerpo dentro del vestido, se vio radiante y admirada y hasta deseada por esas mismas miradas extranjeras. Cerró los ojos y comenzó a tararear una suave melodía que a ella le sonaba antigua. Las imágenes del teléfono cambiaban en un *slide show* armonioso dentro del cual ella veía su cuerpo o imaginaba verlo. Cadenciosamente su piel se deslizaba dentro del material sutil de la seda entretejida en varias tramas; los pliegues naturales del vestido creaban tonalidades difíciles de discernir por los efectos de la luz. El cuerpo de Verónica entraba en el vestido y con ella, las sensaciones de un mundo opulento, de reina de Siria o China, cuya misión era exaltar sus sentidos. Poco a poco el vestido mostrado por el teléfono se vio habitado por el cuerpo desnudo de Verónica que se dejaba llevar por las sensaciones de la seda intrincada sobre su piel joven. Habitar toda la vestimenta le producía una ansiedad sobre lo que quería sentir. Ya con el vestido adherido a su piel, una energía subterránea se le subió a las manos y comenzó a acariciarse con delicadeza los muslos y el abdomen. Estiró y abrió las piernas lo más que pudo y el vestido se lo impidió. Éste no estaba hecho para una alocada bataclana, sino para una reina de la concupiscencia que sabe que el poder de la pasión llega lentamente sumergiéndose en una nube casi imperceptible de fluidos naturales. Sus finos y alargados dedos buscaron su pubis sobre el vestido.

A su tiempo llegó al vórtice de su trance orgásmico, del cual se recuperó con lentitud, dejando deslizar unas casi imperceptibles lágrimas por la ranura de sus ojos. Absorta, se incorporó mirando por la ventana que daba hacia la plaza San Martín de la cual se desprendía el bullicio de una ola reventando sobre el vidrio de la ventana. Asomada de costado, pudo observar un tumulto de gente corriendo en todas las direcciones. Los manifestantes estaban siendo reprimidos por la Policía Nacional con bombas lacrimógenas y potentes chorros de agua helada. La multitud en su huida no cesaba de gritar: «Lima es de nosotros y no de los coimeros!». «¡No nos moverán!». «¡Abajo la represión!». La gigantesca bandera del proscenio estaba ya lista para caer sobre los propios manifestantes, cuando una voz de mando desde los parlantes ordenó a los reclamantes ir hacia la municipalidad de Lima: «¡A la alcaldía, compañeros!». Si alguien hubiera filmado la toma de la Bastilla en París de 1789, esas hubieran sido las imágenes previas.

Con el pubis húmedo y todavía con dos lágrimas al costado de su rostro enrojecido, Verónica no podía reconciliar lo sucedido previamente en la habitación 366 y lo que pasaba afuera del hotel. «Lima se va a la mierda», murmuró enfurruñada. Observó la estatua del libertador San Martín, inmune al caos que se desenvolvía a sus pies, y hasta parecía muy graciosa con su auquénido en la cabeza. «Bájate del caballo, carajo, estamos en guerra otra vez», musitó mientras deslizaba su cuerpo a un costado de la ventana. Cubrió su cuerpo como abrazándolo y el eco del bullicio de afuera se confundió con el bip, bib, bib del teléfono anunciando el límite a la carga de su batería. Volteó su rostro desencajado para ubicar el fantasmagórico teléfono causante de su voluptuoso arrebato y no lo encontró. Sin saber a qué atenerse, se levantó casi tambaleándose, se volvió a tender sobre las cubiertas y se quedó dormida.

Muy temprano en la mañana, aún confundida por lo ocurrido en la habitación 366 y lo que observó desde la ventana de la misma, bajó a la planta baja preparando una excusa por si se encontraba con algún supervisor que se percatara de que se había quedado a dormir sin permiso en el hotel. Pasó por el bar y de reojo pudo ver la misma escena de la otra noche, clientes bebiendo y rodeados por un humo plomizo. Nadie se inmutó al verla pasar. Cerca de la puerta de salida, encontró al viejo sindicalista con su indumentaria clásica de enterrador de pobres.

—Buenos días Verónica, extraña noche, ¿no? Ya eres de los nuestros —le dijo mostrándole una papeleta en la cual aparecía su nombre junto a una línea en mayúsculas: MIEMBRO DE LA COOPERATIVA DESDE…

—Gracias —dijo Verónica guardando el papel en su cartera y continuando su desplazamiento hacia la salida del hotel.

Al cruzar la puerta de vidrio y marco dorado, en su apuro casi se lleva de encuentro a Del Alba, que ingresaba medio borracho al hotel llevando de la cintura a una jovenzuela pintada y arreglada para una noche de juerga en una discoteca.

—Buen día Verónica. Tenías razón, el escritor estaba confundido… Y ya sé cómo salir de esta confusión. —Le hizo un pase de torero para cederle el paso.

Por fin llegó a la calle y la visión era desoladora: carteles rotos, palos quebrados, sangre mezclada con agua turbia en la calzada, papeles rodando, grafitis rabiosos en las paredes aledañas al hotel y la inmensa bandera de la noche anterior aleteando y a punto de caerse. Por la cantidad de policías, Lima parecía una ciudad tomada por un ejército invasor. La plaza San Martín, ya vacía de peatones, había cobijado la noche anterior una masa nacida de la furia, una muchedumbre de rostros agrios e inmutables que expresó su frustración con palabras de trueno. De todo eso solo quedaba un silencio tremebundo.

En la puerta del hotel, el rostro desencajado de Verónica se movía de un lado a otro buscando un taxi. Un Mini-Cooper color negro se detuvo delante de ella. Los instintos de Verónica se agudizaron al presumir un rapto perpetrado por delincuentes o por Seguridad de Estado. El vidrio polarizado de la ventana se desprendió con lentitud y apareció el rostro fresco y sonriente de Sebastián Aróceda.

—Hola, ¿te llevo a alguna parte?

—Sí por favor, estoy desesperada por llegar a mi casa para estar con mi hijo.

—Sube. —Se abrió la pequeña puerta del vehículo y Verónica se acomodó en el asiento dando un largo suspiro. Apretó los labios y se dijo para sí misma: *No todos los príncipes vienen en carruajes y limusinas… y hasta pueden tener acento argentino.*

Al doblar el carrito por la esquina de la avenida La Colmena, Verónica pudo escuchar la voz cantante del canillita, esos que ya no se ven mucho en Lima, anunciando las principales noticias del día, entre ellas: *"Murió Fidel, se acaba una era". "Arde Lima: Mudo no habla". "Ríos de arriba se vienen con todo".*

Santa Fe, abril 2018

Ani Palacios es una escritora y periodista peruana que emigró a los Estados Unidos en 1988. Dirige Pukiyari Editores y *Contacto Latino*. Conduce el web podcast *Primera Persona*. Organiza concursos literarios. Ha ganado ocho International Latino Book Awards, dos de ellos primer puesto por mejor novela.

Sus novelas incluyen: *Nos vemos en Purgatorio* (2009, Outskirts Press y 2010 Penguin Random House/Alfaguara), *Plumbago Torres y el sueño americano* (2011, Contacto Latino Libros y 2013 Penguin Random House/Alfaguara)*, 99 Amaneceres* (2014, Pukiyari Editores), *Noche de Penas* (2014, Pukiyari Editores)*, El último clóset* (2016, Pukiyari Editores)*, Paloma aventurera* (2017, Pukiyari Editores)*, Hay un muerto en mi balcón* (2018, Pukiyari Editores). Además, ha publicado los libros de autoayuda, *No Strings Attached: Your Journey to Unconditional Loving* (2015, Pukiyari Editores) y *Living in a Double World: A Practical Guided Tour Through the Immigration Experience* (1996 y 2010, bajo el nombre Ana María Quevedo). Sus relatos han sido publicados en diversas antologías.

Ha presentado en una variedad de conferencias universitarias, talleres de escritura creativa y ferias del libro; fue fundadora de la Sociedad de Escritores de Columbus (Ohio); ha organizado la Feria Internacional del Libro Ohio desde el 2017; ha sido reconocida en Who is Who in Columbus Latino como agente de cambio en la literatura y ha recibido el Premio Mi Gente como reconocimiento a su trabajo con la literatura latina. A partir del 2019 es miembro de la delegación de Indiana de la Academia Norteamericana de la Lengua Española (ANLE). Su historia es capturada en el libro, *How They Made It in America* (2019, Simon & Schuster) junto con otras inmigrantes famosas, incluyendo a Isabel Allende.

Para contactar: editor@pukiyari.com

A treinta y tres centímetros del abismo
Ani Palacios

Yahaira Solís leyó el título del artículo y se rio. «¿Treinta y tres centímetros? ¿Cuánto es treinta y tres centímetros?», dijo buscando una regla en el cajón de su escritorio. Tomó el aparato y deslizó la mirada con curiosidad felina por encima de todas las marcas rojas, las pupilas creciendo en sus ojos verdes avellanados. Sentía el rubor subiéndole por las mejillas y aquella palpitación tan conocida entre sus piernas. «Diez… quince… veinte… treinta», contó y abrió la boca cuando la regla se le acabó sin llegar al treinta y tres. «¡Mi madre!», exclamó mirando el último tamaño. «¿Y a qué mujer le entra eso?», murmuró colocando el utensilio de medición sobre su falda.

Se disponía a realizar otras indagaciones acerca de aquel número mágico cuando su asistente, Karina, la interrumpió con un mensaje marcado 'urgente'. Regresó su mirada al computador. Se trataba de un texto corto, acompañado de un video, enviado a su cuenta secreta. No había escuchado de Karina en días. Apretó un botón en el remoto para cerrar con picaporte electrónico la puerta metálica de su despacho y con el mismo aparato apagó las cámaras con las que grababa a sus clientes, y con frecuencia también a sus jefes. Cuando se sintió absolutamente segura, fijó su vista en el correo de Karina. «Lo encontré», decía el simple mensaje. Yahaira se llevó el pulgar a la boca, pasó su lengua por encima de la uña esmaltada de rojo, como hacía siempre que se sentía nerviosa frente a lo inevitable, se acomodó en el asiento y le dio 'clic' al video. Era la voz de Karina, la cámara parecía estar debajo de una mesa, sostenida entre sus muslos, camuflada por una falda invernal y un abrigo de piel. Lo único que Yahaira podía ver era el pantalón gris oscuro del hombre con el que su asistente departía. *¿Sería realmente él?*, se preguntó la investigadora mientras trataba de hacerse una idea del lugar en donde estaría Karina. Por la manera de hablar, tan foránea para ella, concluyó que se trataría de alguno de los países nórdicos. *Bastante fuera de lo que pensamos*, se dijo. Solamente pudo sacar en claro las pocas palabras que su asistente intercaló en español dentro de la conversación: «tren», «cruz», «cisnes». Ella sabía que eran claves, ¿pero, de qué? El final abrupto del video mostraba el rostro de Karina, tal vez en un baño de restaurante, y ella tratando de decir algo que a Yahaira le sonó como «hells aquí».

Aquel sujeto había sido una espina, una mancha negra, en su impecable catálogo de casos cerrados. De vez en cuando, generalmente luego de una noche entre tequilas y sábanas de raso, se decía a sí misma que ya era hora de dejarlo ir, que acaso aquella deuda nunca sería saldada, que su nivel de competencia era intachable cuando se trataba de otros pero un reverendo caos de emociones insubordinadas al tratarse de lo que el padre de aquel hombre le hizo a su familia. Muerto el viejo Alcides Jiménez, el único que quedaba para confrontarla era su hijo, Enzo.

Ya una década había pasado desde que el patriarca dejara los Estados Unidos para recluirse en las islas de la Indonesia, saltando de un lugar a otro sin que Yahaira pudiese alcanzarlo. Para cuando por fin lo localizó, el hombre que le robó todo a su madre había fallecido. No fue hasta unos años después que descubrió a Enzo, el único heredero de aquella bazofia de persona. Se había cambiado el apellido y vivía en Europa, pero a través de indagaciones estaba segura de que se trataba de él. Y esta vez estaba más cerca que nunca.

Se levantó de su asiento y buscó un vaso en el barcito que mantenía en su oficina. Se sirvió tres dedos con su bebida favorita, tequila azul reposado, y se lo tomó seco y volteado. Hizo un gesto al pasar el alcohol y se sirvió otra vez. *Te voy a encontrar, Enzo. Verás que esta vez no te puedes esconder de mí, hijo de puta, condenado cabrón,* dijo degustando el trago.

Con un tercer trago en mano regresó a su escritorio. Se disponía a entrecruzar las palabras en el mensaje críptico de Karina para intentar resolver la interrogante de aquella localidad lejana cuando timbró su móvil. Era ella. Suspiró aliviada al ver su cara en la pantalla.

—¿Dónde carajos estás? ¿Qué tipo de mensaje ridículo es aquel que me dejaste? —bromeó.

—Helsinki.

—Hells aquí, hells aquí… ¿Helsinki?

—*Kyllä*. Sí.

Karina y Yahaira rieron por un momento. La tensión de meses de intensa actividad las abandonó por unos segundos. Luego el rostro de Yahaira se tornó serio.

—¿Con él conversabas el otro día?

—No. Es un contacto de negocios. He puesto a uno de nuestros finlandeses de confianza en el caso. Le ha seguido la pista estas últimas horas.

—¿Y el contacto, no sospecha de ti?

Karina negó.

—Me di un 'encontronazo' con él en un café. Al verme desvalida y manchada con café derramado, se ofreció a comprarme otra taza y conversamos un rato.

Yahaira se rio.

—¿No te cansas de usar ese truco?

—¿Con mi cara y mi cuerpo? Para qué, si siempre funciona.

—Bueno, sí, para qué cambiar lo que da resultados —dijo Yahaira cayendo en cuenta de que ella también tenía sus maneras predilectas de conseguir información—. Cambiando de tema, tomo un vuelo esta misma noche. No le pierdas la pista a este hombre. Es lo único que tenemos.

—No te preocupes. Estamos cerca.

*****

Horas más tarde, Yahaira despertaba al otro lado del mundo. Karina la esperaba dentro de una limusina en el aeropuerto.

—¿Cómo sabes que esta persona nos llevará hasta Enzo Jiménez? —fue lo primero que Yahaira le dijo a su asistente apenas asomó su cabeza por la puerta del automóvil.

—Buenos días a ti también —contestó Karina, ofreciéndole una taza de café—. Mientras tú estabas sentada en un asiento en primera, yo me rajaba trabajando. Mira por ti misma. —Le colocó el archivo sobre la falda.

Yahaira tocó la carpeta. Cerró los ojos. Recordó los últimos años de su madre muriendo en indigencia, confesándole con amargura cómo Alcides Jiménez la había timado de su fortuna, vendiéndole falsas promesas, engatusándola con sus proezas amatorias, revelándole inversiones inverosímiles en países exóticos. Y ella, una viuda joven, una mujer rica, multimillonaria pero poco práctica, aferrada a la idea del macho que sabe más, le dio primero un poco; y cuando él regresó con montañas de dinero, ella le dio más. Y cuando aquello le dio un rendimiento sorprendente, ella le entregó todo. La podía ver: echada en su cama en el hospital para menesterosos, las lágrimas tan gruesas que se detenían en sus mejillas surcadas por miles de rayas, sufriendo con dolores que solamente se podían calmar con dosis fuertes de morfina, y entre sus quejidos el nombre de quien un día no regresó con más dinero y la dejó en la bancarrota.

Sintió a Karina cambiándose de asiento para acercarse. Abrió los ojos.

—Pensé que te quedaste dormida. Tus ojos están rojos.

—Recordaba a mamá —contestó y abrió el archivo. La foto del hombre que habían perseguido de continente en continente por fin se reveló. Era un hombre apuesto, varonil, un poco más joven de lo que ella esperaba. Leyó en silencio todas las páginas compiladas. Frente a ella se iba formando la realidad de la presa que anhelaba cazar—. 'Inversionista', como el padre... faltaba menos. ¿Lo veré hoy?

—Su empresa es legal.

—Formada con el dinero de mi madre, dinero robado.

—¿Estás segura de que quieres hacer esto? —preguntó Karina.

Yahaira la abrazó.

—¿He llegado hasta 'hells aquí' y quieres que me eche para atrás? ¡De ninguna manera! Si no tomo esta ruta, es posible que no tenga una segunda oportunidad.

Karina le presentó un boleto y una caja de color dorado.

—Tu invitación a una función privada de los inversionistas y un vestido.

Yahaira abrió la caja.

—Perfecto —dijo sonriendo.

*****

Esa noche, cuando Yahaira ingresó al *penthouse* de Enzo Jiménez, todas las miradas se clavaron en ella. El vestido, con un corte en V profundo en el anverso, y la espalda desnuda hasta el quiebre de su fabuloso trasero, se amoldaba ceñidamente a sus curvas y a sus circunferencias; y el color azul pizarra del traje le otorgaba una distinción y una elegancia difícil de eludir. Llevaba el cabello largo y oscuro suelto, estaba maquillada en tonos naturales y solamente traía puestas unas pocas joyas. Su contacto se adelantó a saludarla.

—Mi nombre es Jens Lanu. Tengo todo preparado —le dijo mientras la tomaba del brazo con galantería.

Yahaira sonrió delicadamente mientras esculcaba el salón con su mirada y realizaba anotaciones mentales acerca de lo que iba viendo. Cerca de la puerta que daba hacia un balcón divisó a Enzo Jiménez. Hubiese querido fulminarlo con sus grandes ojos verdes, lanzarle llamaradas que lo consumiesen en un dolor agonizante, como el que ella sufrió viendo a su madre desintegrarse, convirtiéndose en un despojo humano en esa cama maloliente, en ese hospital en donde la enviaron a morir.

—Jens, me presentarás al señor Jiménez y luego de las cortesías propias y las alabanzas mutuas buscarás la manera de dejarme a solas con él —dijo Yahaira mirando fijamente a Enzo, quien desde lejos le respondió con una sonrisa generosa y adelantó unos cuantos pasos para salirle al encuentro.

—*Kyllä* —respondió el finlandés ofreciéndole una copa de champaña.

Enzo se acercó.

—Jens Lanu: siempre con una mujer bella del brazo. Y esta vez, alguien que no conozco —dijo Enzo repasando los detalles contoneados de Yahaira con la mirada—. ¿Tiene un nombre?

Yahaira le ofreció el revés de su mano.

—Ya-hai-ra —susurró sensualmente.

Enzo se tomó su tiempo para besar con calidez la mano de Yahaira. Ella sintió aquel conocido cosquilleo en su cuerpo y luchó por disimularlo.

—Un nombre tan bello como su hermosa dueña.

Ella se pasó la mano por el cabello y continuó hacia sus curvas. Cuando estaba nerviosa le gustaba sentirse. Saberse presente a través de su físico la devolvía a la realidad, a su plan.

Enzo se acercó. Casi la tocaba desde donde estaba. Podía sentir su respiración entrecortada, los vellos de sus brazos erizándose, su voluptuosidad anhelante. Se tuvo que repetir mentalmente: *Es el hijo de Alcides Jiménez, es el hijo de Alcides Jiménez, es el puto hijo de Alcides Jiménez.*

—¿Bailamos? —le preguntó, y sin dejarle responder, la tomó de la mano, la llevó hacia la íntima pista de baile.

La orquesta tocaba música de salón. Enzo se colocó frente a ella. Lentamente, y sin soltar la mirada, bajó sus manos hasta las suyas y entrelazó sus dedos, luego envolvió su cintura con las manos enlazadas y acarició su cuello con el mentón. Yahaira cerró los ojos, vio a su madre muriendo, buscó el odio en su pecho e inició el vals.

*****

—¿Estás satisfecha? —pregunto él saliendo de la ducha. Yahaira lo observó mientras se secaba con la toalla y dejándola sobre el lavatorio regresaba a la habitación completamente desnudo.

—Todavía no —contestó Yahaira.

—¿A pesar de haber comprobado que el mito de los 33 centímetros no es un mito?

Yahaira lo miró. Aquel juguete gigantesco con el que había pasado la noche empezaba a erguirse frente a ella.

—A pesar de todo… Aparte que el tuyo no es ni hablar de ese tamaño…

—¿Quieres que saque la regla?

—No hombre, te conté eso por hacer conversación… nada más… sería demasiado de todos modos…

Enzo se subió el calzoncillo con lentitud. Yahaira estaba acostumbrada a aquella danza pero no pudo evitar que el apetito se le despertara nuevamente mientras seguía sus movimientos sin perderse un detalle. Él le devolvió la mirada con una sonrisa; luego, escogió una camisa.

—Que buenos músculos, ¿no? —dijo Enzo pasando su mano de hombre por encima de sus pectorales.

—Sí… —contestó Yahaira recordando la noche anterior. Sabía que si no lo odiara tanto, repetiría con él una y otra vez.

—Bueno, tenemos algo en común… —dijo comenzando a abotonarse la camisa mientras la seducía con la mirada.

—¿Los músculos? —preguntó Yahaira un poco confundida.

—Mi padre —contestó Enzo.

—¿Tu padre? —respondió Yahaira sintiendo que estaba por revelarse su secreto.

—¿Acaso no sabes que mi padre no se robó todo lo que tenía tu madre, sino que más bien dejó algo con ella? —preguntó Enzo mientras terminaba de acomodarse los gemelos de oro en su camisa.

Yahaira se sentó sobre la cama, se acomodó la sábana de color carmesí sobre su cuerpo desnudo, lo miró inquieta. Se supo descubierta.

—¿Qué? ¿Qué fue lo que dejó esa bestia? —sollozó.

Enzo se miró al espejo y sonrió. Volteó. Se acercó a ella y apoyándose en la cama, le susurró al oído:

—A ti.

Bordes desgarrados
Ani Palacios

Veo una raya inmensa que cruza mi muslo de norte a sur. No es un rasguño, es una herida nueva, abierta, descarada, pulsante. Me mira y la miro, desde arriba parece una fotografía aérea de Miami, excepto que en mi caso el mar es roji-morado y la arena verdi-marrón. No la recuerdo. Vive en mí, pero el momento de su concepción me evade. Sentada al borde de la tina la inspecciono con mi dedo. Muevo mi índice sobre sus bordes desgarrados, siento las irregularidades que como pequeñas mesetas se han formado en la piel expuesta, veo la sangre coagulada emergiendo por sus cantos, calmando la llaga con un manto protector, es una lesión extensa pero el dolor palpitante me parece menor que las preguntas agolpadas como cuchillas punzocortantes en mi mente.

Siento de pronto el abrir y cerrar de puertas, el correr de tacones por un pasadizo que parece inmenso, las palabras amenazantes, el dolor de una voz ronca que me traspasa de miedo como si me pisoteara. Como una noche ebria de lunas amarillentas las imágenes llegan hasta mí. Me inunda el terror de saber. Recortes de vivencias que no deberían existir en la mente de nadie me anegan de adrenalina.

Me levanto y busco algo para vestirme. No veo nada. Ni siquiera una toalla. Estoy desnuda en un baño y no tengo ropa. No importa el porqué de la situación, lo único que me interesa es que ese monstruo no llegue hasta mí, que no me encuentre. Tiro de la cortina de baño y ella cae sobre mis hombros como una capa de plástico antiguo y mohoso. No me importa. Es mi oportunidad de encontrar una salida.

El hombre y la mujer han subido al segundo piso y ahora corren por el único pasillo que me separa de ellos. Esa pared es ligera, *triplay* y pintura, casi como un velo que se puede romper de una patada. Me veo desprotegida ante la aceleración de eventos. Las carreras entre ese hombre y la mujer que chilla al otro lado de la pared se han vuelto más duras. Ella trata de buscar la manera de mantenerse viva; no sabe que él también busca la manera de mantenerla viva, cautiva, como me ha tenido a mí. Quisiera rescatarla, pero sé que la única manera es rescatarme a mí primero.

La intuición me dice que ese lado de la casa tiene un ducto de aire que va al ático. Jalo el tubo que sostenía a la cortina de baño y me sirvo de él para empezar a pegarle a la pared que está detrás del retrete. Trato de no hacer bulla. No quiero que él recuerde que yo estoy aquí, que aquí me dejó luego de maltratarme a su gusto horas antes. No entiendo de dónde salió la chica. ¿Es que él se cansó de mí y fue a buscar otra?

Logro hacerle un hueco a la pared. Los escucho peleando a la puerta del baño. Un solo movimiento efectivo, que él la empuje a ella sobre la puerta, y mi única defensa se caería por completo. El pánico toma control de mi cuerpo y con fuerza sobrehumana tiro de los paneles de yeso hasta hacer un agujero por el que puedo pasar.

Mientras me alejo con dirección al rincón más lejano de esa cárcel, las instantáneas de lo vivido caen a mis pies disparándose por todos lados. Mis padres en la frontera, lágrimas en los ojos, despidiéndose de su única hija después de haber cruzado a pie todo Centro América, después de evadir los peligros de la noche y los riesgos del día, después de prometerme que todo saldría bien, que juntos dejamos nuestro hogar y juntos entraríamos a la tierra de las oportunidades... después de todo eso, me tienen que dejar a las puertas del Cielo. Sólo me pueden llevar a mí, no hay más cupo en el camión, les dicen los hombres que ofrecen ayudarnos. Regresarían por ellos en el siguiente viaje, les prometen. Estúpidos ignorantes fuimos al haber pensado que alguien ofrecería su asistencia a cambio de nada. Pienso en mi madre y en mi padre esperando en esa soledad del desierto y de la nada el viaje que nunca se haría, mirando al infinito por esos hombres que no regresarían, oteando pacientes a cada sonido mientras la arena les pega por todo el cuerpo, recordándoles con cada golpe que aquella es la muerte lenta de la esperanza. Me veo sonriente el primer trecho de ese camino que empezó hace poco hace mucho, me creo todo lo que esos hombres me dicen. No sospecho de nada porque los inocentes no sabemos desconfiar. ¡Cuánto se ha avejentado mi espíritu desde ese entonces! Hasta ese día nunca conocí la definición de la palabra traición. Y me llevaron en su camioneta, el aire acondicionado hacía revolotear mis cabellos y la música al salir del desierto me pintaba una sonrisa. Todo era alegría ahí adentro. La comida sabía a gloria y los gringos eran gringos, y eso era suficiente para mí. Qué poco sabía del mundo, no entendía que todo tiene un valor en la frontera, que nada es gratis cuando quieres algo con todo tu corazón, que la belleza y la juventud tienen valor comercial, y que esta tierra en la que me adentraba cada vez más me engulliría como si mi vida no fuera nada.

Trastabillo y caigo. Al levantar la vista mi espíritu ve una señal divina. Encuentro una ventana al fondo, casi no se le ve porque hay muchos trastes frente a ella y no estoy segura si podré salir por allí, pero tengo que intentarlo. Con todo lo que tengo de fuerzas busco cómo empezar a mover cosas y hacerme camino hasta la única salida que le veo a esa prisión.

Estoy sudando por el plástico que me cubre y el dolor de la herida se ha despertado, hilos de sangre hormiguean al bajar por mis piernas y el dolor grita que ya no puede más; pero no me importa, tengo que concentrarme en huir.

Poco a poco muevo todo para un costado, puedo ver por una rendija del ático que da al ventilador del baño que mi carcelero y su nueva víctima luchan allá abajo. Ella, extendida sobre la mayólica desteñida del cuarto, le trata de pegar pero a lo más logra rasguñarlo en el rostro; él, casi sentado sobre ella, va dejando que el peso haga su trabajo mientras se deleita en saber que ya la tiene, que es suya. Hasta ahora no sabe que a sólo unos metros de él su jilguero trata de escapar.

Yo no le puse tanta pelea como esa pobre chica. Me di cuenta desde el principio que no tenía cómo ganarle. Una vez que empezamos a manejar hacia el norte la actitud de esos hombres cambió. Fueron cosas pequeñas al principio. No me daban mis tres comidas, por ejemplo, o no me dejaban bajar en las tiendas de las gasolineras para ir al baño. Yo pensaba que tal vez estaban cansados del viaje y que ya se les pasaría. Un día dejaron a todos los que iban en la camioneta y quedé solamente yo con los dos gringos. Esa noche me forzaron a acostarme con ellos a cambio de cama y comida, y ahí fue que empecé a darme cuenta de que para ellos yo era un objeto para uso sexual, que esa era la verdadera razón por la que ofrecieron cruzarme en la frontera. Pero a pesar de que me comporté como querían, nunca imaginé que quedaría atrapada con ellos para siempre.

El plan era que una vez llegásemos al pueblo a donde me llevaban, porque tenía un tío ahí, ellos descansarían una noche y al día siguiente emprenderían el viaje al sur, a recoger a mis padres en el lugar donde nos despedimos. ¡La cara de mi tata y de mi mamá cuando los gringos les dijeron que no les cobrarían nada! Era como si de la arena hubieran aparecido unos ángeles y nos hubiesen rescatado de nuestra miseria, porque en verdad que veníamos conversando lo difícil que sería cruzar sin tener un coyote, y es que el dinero se nos había acabado muchísimos kilómetros antes.

Ya casi termino con la monumental obra de llegar hasta la ventana del ático. Se me acaba el tiempo, la chica ha sucumbido a la fuerza mayúscula del apresador, su cuerpo desvanecido dentro de la tina empieza a despertar con el agua fría. Sus ojos se abren al verlo a él acercándose. Mi corazón late con fuerza. Es cuestión de segundos antes de que note que no estoy en la habitación en donde me dejó horas antes.

Tomo un pedazo de madera yerta en el piso. Es el momento de romper ese vidrio y ver si me puedo escapar por ahí. ¿Cuánto tiempo ha pasado desde que llegué a este lugar? Veo un manto blanco que cubre todas las casas y los jardines de las propiedades. Desconozco lo que es, ¿tal vez nieve? Deben ser meses entonces, meses de esperar que alguno de los hombres que llegan a la casa me rescatase, meses de vivir como la propiedad de alguien, meses de desaliento, de dolor, de cautiverio.

Empieza una tormenta de copos blancos afuera. El sonido del vidrio al quebrarse es acallado por el rugir del viento. Estoy a salvo por ahora. Miro hacia afuera: es una caída de dos pisos, pero estoy segura de poder lograrla. Tomo un mantel para sacar las esquirlas de vidrio del marco de la ventana. Cuando todo está listo, me amarro la capa de plástico, trepo hasta el hueco de la ventana y siento la pegada del frío con toda su fuerza. Estoy desnuda y sin zapatos, me podría hacer daño al caer o él me podría encontrar escapando y traerme de regreso a la casa, pero tengo que hacerlo.

Elevo una oración a Nuestra Señora de los Ángeles y me aviento. Lo que suceda ahora está en manos de Dios y la virgencita. Me veo caer en cámara lenta. Escucho el viento aullando a mi alrededor y siento miles de agujetas heladas golpeándome mientras recorro los metros que separan el ático del primer piso. La nieve amortigua el golpe. Estoy de una pieza, aunque de inmediato siento el hielo quemando mi piel desnuda. Todo es blanco. Todo: el cielo, el suelo, los árboles, las casas… nunca he visto tanto blanco en mi vida. Es posible que ese blanco que ahora quema todo mi cuerpo con su frío extremo me ayude a encubrir mi partida.

Me pongo de pie y volteó a mirar por última vez la casa en donde mi vida en Estados Unidos comenzó. El lugar en donde mi inocencia falleció. No tiene nada de particular, excepto el balcón falso por donde caen falsas flores decorativas de color púrpura. No importa, no pienso regresar. Ajusto el plástico lo más posible y tiritando de espanto corro y corro por donde he visto ir y venir automóviles hasta encontrar una calle con otras casas y otras personas, una avenida por donde regresar a la vida.

Me siento libre por primera vez en tanto tiempo. El aire gélido me parece glorioso y ya no siento el dolor de caminar descalza y desnuda en estas bajas temperaturas. Él no sabe que me he ido y es posible que al estar ocupado con la otra chica no tenga tiempo de salir a buscarme. La otra chica… me siento culpable de dejarla a lidiar con ese monstruo, de que tome mi lugar en esas largas sesiones de abuso sexual y prostitución. Me siento mal de saber que su cuerpo se vestirá de lencería pero su alma se llenará de llagas difíciles de sanar… me aborrezco por dejarla sola en esa pesadilla, pero no sé qué puedo hacer… si voy a la policía lo único que les importaría sería deportarme por ilegal… aunque eso tal vez no es tan mala idea… lo único que quiero es buscar mi manera de salir de este lugar, llegar al sur, encontrar a mi tata y a mi mamá…

Camino ligera sobre la vereda, mis piernas hundiéndose en la nieve hasta casi mis rodillas sin que yo me percate de nada, sé que avanzo hacia mi libertad perpetua y eso es lo único que me interesa. No así a los vecinos que observan desde sus cómodas salas con chimenea y calefacción a una jovencita loca, de pelo largo y negro y cuerpo curvilíneo caminando en la nieve con la única protección de una cortina de baño de plástico.

Nadie sale a ofrecerme ropa o entrar a su casa para calentarme. A nadie le interesa entender por qué estoy ahí, desnuda en la nieve. Nadie quiere rescatarme. Lo que todos quieren es que me vaya y deje de fastidiar sus perfectas vidas con cualesquiera que sean mis problemas.

Así que alguien llama a la policía y pronto una patrulla y una ambulancia aparecen en el idílico escenario de un barrio americano igualito a los que aparecen en las películas. Algunos vecinos se han puesto sus casacas, y sus gorras, y sus guantes, y han salido a chismear con su taza de café en mano. Trato de evitar a los que toman video con sus teléfonos, pero es imposible, pronto él sabrá que me he escapado.

Los oficiales me hacen preguntas mientras los paramédicos me cubren con mantas para calentarme y me colocan una línea para el suero. Trato de mantenerme callada, de no responder mucho, mientras menos sepan, menos investigarán. Por último, que me curen las heridas y las quemaduras, me den algo de vestir y de comer, y me pongan en un camión de regreso al sur. Eso sería lo mejor que me podría suceder en mi vida. Que me deporten, yo feliz de largarme de este infierno.

Pasan los minutos y continuamos ahí. Me empiezo a desesperar. Si él se da cuenta me podría encontrar a solo unas cuadras de su casa. Podría contarles un cuento; decirles, por ejemplo, que estoy con él, que soy la hija de su prima que está de vacaciones en la ciudad, y llevarme de regreso sin siquiera armar un escándalo. Y yo sería nuevamente de él y de sus abominables clientes para hacer conmigo lo que quisieran. Tengo que salir de ahí y ya.

Empiezo a llorar descontroladamente. A chillar en español. Es algo que no esperaban y reaccionan tal y como yo quiero: me dicen que me van a llevar al hospital en la ambulancia y que los oficiales continuarán su interrogatorio luego de que me den de alta. Por fin me suben, cierran las puertas y partimos. Me siento a salvo.

Pronto me podré escabullir de la sala de emergencias y nadie volverá a saber de mí en ese lugar.

Tal y como planeé, me cosen la herida, me dan medicinas para el dolor y la infección, me ofrecen ropa de invierno para vestirme y me dan de alta. Estoy feliz mientras camino los pasadizos que llevan de la sala de emergencias hacia la salida de atrás del hospital. Me siento delirante de alegría de pensar que en unos días podré estar de regreso con mi tata y mi mamá. ¡Cuánto deseo ver sus rostros, abrazarlos, contarles lo que me ha sucedido, llorar en sus hombros! Este país no es para nosotros. Prefiero mil veces vivir en pobreza que en esclavitud. Me acerco a la salida. Mi corazón se acelera, da piruetas, bailotea. Me toca solamente cruzar el estacionamiento y llegaré a una estación de tren y de ahí a buscar un autobús que me lleve al sur. No sé en dónde estoy, pero sí sé a dónde quiero ir: al sur, siempre al sur, lo más lejos de aquí, lo más pronto posible.

Está nevando con más fuerza que cuando salté desde la ventana. Un escalofrío me recorre el cuerpo apenas abro la puerta. La nieve me empieza a cubrir el cabello. Me detengo para colocarme los guantes y el gorro que las enfermeras que me trataron me regalaron. En ese momento me doy cuenta de que hay otras dos personas sentadas en unos muros cerca a la salida, pasando el pequeño toldo que cubre la puerta. Avanzo un paso y uno de ellos se da la vuelta, me mira y se sonríe. Es él, viste un uniforme de policía, en su placa alcanzo a distinguir la palabra *Sheriff*.

—¿No habrás pensado en largarte sin despedirte? —me dice colocando su cuerpo frente a mí.

Mi corazón se detiene. Me siento confundida. Leo de nuevo: *Sheriff*... ¿Él es el comisario?

Intento moverme para un costado, busco un espacio por donde salir corriendo. Si voy rápido tal vez todavía pueda huir.

En ese instante la otra persona se levanta, se planta frente a mí y me observa. En su mirada veo sadismo.

—¿Vos? —le digo deteniéndome, mi piel crispándose de terror. Es la chica que hasta ese momento pensé que dejé víctima de aquel hombre. En su uniforme leo la placa *Deputy Sheriff*.

Jeremiah Twingle y la soledad asesina
Ani Palacios

De pequeña le tenía miedo a casi todo. El crujir de los tablones de madera en la noche. Las voces de fiestas pasadas y de velorios que quedaron impregnadas en las paredes del salón de visitas. El sonido de disparos a lo lejos. La idea de quedar huérfana. Pisar fuera del cuadrado en las mayólicas relucientes de los pasillos del colegio de monjas en donde dejé doce años de mi vida. La gordura. Nunca crecer lo suficiente y que mi padre cumpla con su promesa de venderme al circo por retaca. La luz de la luna reposando fuera del espacio enmarcado por la puerta del ropero entreabierto. Mi abuela saludándome con un «Pero qué gorda estás». Los camiones rojos.

Años después un psiquiatra catalogó todos aquellos temores como infantiles y supersticiosos; y triunfante me declaró 'curada'.

Viví curada por décadas. Venciendo miedos al enfrentarlos. El miedo a los perros lo conquisté comprando el más grande que encontré en la tienda de mascotas. El miedo a las películas de terror, viendo tantas como pude; hasta que me volví adicta. El miedo a la vida, viviéndola. Pensé que ningún miedo jamás me doblegaría. Jamás, hasta el día en que un mensaje corto apareció en mi Skype: «Me han destacado en Irak. Me siento solo. ¿Me ofrecerías compañía en estas noches largas?». *Qué raro éste*, pensé, *buscando compañía de extraños*.

Era ya pasada la medianoche y yo estaba desvelada. Entré al Skype para ver el perfil del misterioso que dizque quería ser mi amigo.

Era un soldado raso, un *private*. Venía de Iowa. Su nombre era Jeremiah Twingle, nombre de mosca muerta se me ocurrió cuando lo leí. Su rostro en la foto de pantalla mostraba una tez pálida, unos ojos sin emoción, una boca de labios gruesos, una nariz pequeña. Tenía cara de susto, como si hubiese dejado de respirar el día que se colocó el uniforme por primera vez y le tomaron aquella foto.

Pensé en la guerra, en lo joven que se le veía a aquel muchacho. Me lo imaginé sintiendo miedo, horror en todo su cuerpo, y el mío se encrespó.

Como si él adivinase que yo estaba ahí, otro mensaje apareció en la pantalla: «Tengo miedo de morir sin nunca haber amado», escribió. «Yo también», suspiré al aire solitario.

Pero hablar con extraños no era lo mío. Apagué el computador y me fui a dormir.

Esa noche soñé con Jeremiah Twingle, su pálida faz sobrecogida por el calor del desierto, sus manos aferradas al rifle, su corazón latiendo desbocado al darse cuenta de que su patrulla ha caído en una emboscada. Y él, muriendo sin haber amado.

Desperté sofocada, con un gusto a arena en mi boca. Desperté gritando su nombre: «JEREMIAH».

Corrí al computador con lágrimas en los ojos. Entré al Skype, busqué a Jeremiah, le envié un mensaje, un insípido «Hola…». Me quedé mirando la pantalla, sintiendo miedo por primera vez en mucho tiempo.

A los pocos minutos recibí un mensaje de él y me sentí respirar. Mi sueño premonitorio no se había hecho realidad.

«Me alegra que te hayas apiadado de mí», escribió Jeremiah.

Pensé que 'apiadado' era una palabra un poco dramática pero luego imaginé lo solo que debía sentirse, con la muerte respirándole sus gélidos aires, baboseándose de gusto ante cada descuido, ante la cercanía de su destino final.

«Todo por nuestros soldados», contesté y regresé a la cama. Solamente necesitaba saber que Jeremiah estaba bien para limpiar mi conciencia. Sonreí por lo tonta que fui por tener tanto miedo debido a un sueño tonto; y sin otro pensamiento, me quedé dormida.

Cuando regresé al computador al día siguiente Jeremiah me esperaba con una veintena de mensajes: «¿Dónde estás?». «Te quiero hablar». «No me dejes solo». «Está oscuro aquí». «No quiero morir». «No quiero morir solo». «No quiero morir sin haber amado».

No quise contestar. Lo sentía demasiado necesitado.

Al mediodía ingresé de nuevo al Skype para hacer una llamada de negocios. Al pasar la entrada me horroricé de encontrarme con todavía más mensajes de Jeremiah. Su insistencia me empezaba a fastidiar.

Al cabo de unos días eran tantos los mensajes de Jeremiah Twingle y los había leído tantas veces que sus miedos empezaron a habitar en mi mente. Decidí cancelar mi cuenta de Skype, desaparecer de la vida de Jeremiah, sus últimos mensajes me dejaron con la sensación de que él me espiaba, que me buscaba por el Internet, que sabía todo acerca de mí.

A la semana sin saber de Jeremiah pensé que ya la tormenta estaba calma y abrí una nueva cuenta en Skype. De inmediato un mensaje de él apareció en la pantalla: «Perra, ¿por qué me dejaste solo?». Lo siguió otro: «Moriré y será tu culpa». Esta vez le contesté: «Déjame en paz». Él replicó al segundo: «Nunca. Adonde quiera que vayas, yo estaré». Me estremecí, pero sabía que aquello no era posible. «Cancelaré todas mis cuentas. Me cambiaré de nombre», contesté. Temblaba. Todos los miedos del pasado dejaron de estar inhabilitados, borrados, eliminados por la fuerza de voluntad que rigurosamente me impuse. Todos regresaron en un torrente de tenebrosidad. «No», susurró una voz en la oscuridad. Me quise convencer de que aquello me lo imaginaba, que eran las voces de fiestas y velorios impregnadas en las paredes arcaicas de la sala de visitas de casa. «No es verdad, no es verdad, no es verdad», repetí con los ojos cerrados, buscando razón a mis miedos; aquella confabulación de terrores infantiles no ganaría, me prometí. Mis pupilas bailaban debajo de los párpados trepidantes, el sudor embargaba mi cuerpo haciéndolo sentir arcadas. El sonido musical del teléfono cibernético empezó a timbrar. Abrí los ojos. «¿Qué?», pregunté. «Que no», contestó la voz más fuerte, más cerca. El teléfono timbraba aquella musiquilla como de carrusel circense que tanto me gustaba. La pantalla se llenó de mensajes.

«¿Jeremiah?», pregunté a la voz, sin saber de dónde venía. Nada. De pronto, silencio sepulcral. Me agarré de la silla, los ojos fijos en la pantalla, el corazón desbocado, el aire que no entraba en los pulmones, la mente girando y girando dentro de mi cabeza. Sentí un dolor subiendo por mi brazo izquierdo, las pupilas dilatadas, el sudor frío bajando por mi frente, el aire gélido de la muerte resoplando sobre mi cuerpo, deseándome para sí, forzándome a entregarme a ella. Y entonces lo vi, de pie, mirándome excitado, su tez pálida ahora sonrojada por el calor de sus intenciones. Me extendió una mano, sangre corría por todo su cuerpo, arena fina llovía sobre el mío, un olor a carne quemada entintaba la habitación y el eco de las fiestas y velorios me llamaba desde lejos. Antes de cerrar los ojos para siempre escuché una voz diciéndome: «No morirás sola. Yo siempre te acompañaré».

Receta para una ilusa
Ani Palacios

Tengo una amiga que se cree todo lo que sale en Internet. Y no solo se lo cree, ¡lo comparte!, que es incluso peor. Prefiero pensar que no lee lo que reenvía a concluir que mi amiga es una boba. Pero es que hay que ser caído del palto (o del árbol de aguacate, para mis amigos mexicanos) para no entender que un gran porcentaje de lo que circula en línea es *bambeado*, escrito maliciosamente por alguien que disfruta tergiversando un pedacito de verdad y lanzándolo en ese pozo sin fondo ni reembolsos que es el ciberespacio para luego gozar al ver su obra crecer y crecer entre las ágiles teclas de ilusos como Rox.

«La ONG Banqueros Sin Fronteras lanza una campaña de solidaridad con los desahuciados. Sorteará una tienda de campaña cada mes. Se entregará al agraciado junto con su orden de desahucio».

Ella feliz. La ingenuidad y la falta de materia gris son primas hermanas.

«37 muertos por sobredosis de marihuana en Colorado, EE. UU., en el primer día de venta libre».

Se pasa gran porcentaje de sus horas frente al computador, capturando y *reposteando* (que no es una palabra del diccionario pero igual se usa), buscando y compartiendo, escrudiñando el vasto espacio cibernético y escogiendo.

«España otorgará la ciudadanía a marroquíes que renuncien al Islam».

A veces... muchas veces... ¿para qué mentirme?, la mayoría de las veces, le agrega comentarios de su propia cosecha.

Obviamente ni siquiera se toma el trabajo de corregir errores gramaticales.

«No lo pedo krer¡ kom ay perosonas tan mualas?». *«Matanza de perros fue ordenada por la alcaldesa de Barranquilla»*.

¿Vivir en su mundo será mejor?, me pregunto con frustración cada vez que mi computadora, mi teléfono y mi tableta me hacen un bingdingping BINGDINGPING bingdingping simultáneo. Salto para ver quién se murió y me encuentro con la última de Rox.

«Aseguran que, tras un estudio realizado en Alemania, el contemplar los pechos de una mujer durante diez minutos alarga la vida en los hombres». Esta última la acompañó de un *selfie underboob* dedicado a los muchachos. ¡Por Dios, Rox, ni que las Chi-Chi-Chicas estuvieran como para mostrarlas en público! Pero ella embobada con la idea de alargarle la vida a alguien. ¡Que alargó algo, alargó algo ese día… pero no fue una vida!

«Los ejecutivos de McDonald's se han quedado petrificados cuando se dieron cuenta de que fueron distribuidos más de 5.000 preservativos con su menú infantil Happy Meals en lugar del juguete que suele acompañarlo». «No hay que yir a cmer ayí», escribió Rox. Esta vez me consolé al ver que el *ayí* mal escrito por lo menos mostraba orgullosa y correctamente la tilde sobre la "i".

Yo adoro a mi amiga, pero mi paciencia con su inocencia tiene límites. ¿Cuántas veces quiere que ponga «Amén» a algo para que se me haga un milagro en ese instante? No, ya no quiero mandar ningún mensaje a diez amigas para jorobarlas con el tema de tener que reenviarlo de inmediato si quieren un milagro. ¡Joder con los milagros! Mi milagrito: que Rox despierte de estas pendejadas, nunca sucederá. ¡¡¡Argh!!! ¿Cómo puedo ser cómplice de la estafa de la lotería de Microsoft? Estoy segura de que el bicarbonato de sodio no cura el cáncer. La foto de John Lennon tocando con el Ché Guevera es falsa. Y, de todos modos, ¿a quién mierda le interesa?

Rox es como una vendedora de puerta en puerta que se ha quedado atascada en una puerta: la mía. Y no tengo el corazón para decirle la verdad.

Pero hoy he decidido que la cosa termina aquí. Tengo que quitarle la mamadera de una buena vez. Quisiera simplemente desconectarla por un mes, a ver si se le arregla. Me la podría llevar a algún lugar remoto y hacerle una terapia de desintoxicación. No... Rox nunca dejaría sus redes sociales por tanto tiempo... si no las suelta siquiera cuando se va a dormir. ¡Me ha *texteado* sonámbula! La única manera de convencerla es usando el Internet. ¿Pero cómo? ¿Cómo convences a un pseudociego de que realmente puede ver?

Me acuerdo de esa película del siglo pasado... ¿cómo se llamaba...? (creo que era *Wag the dog*), y me siento mejor porque un plan empieza a desarrollarse en mi mente.

Demoro unas semanas en ponerlo todo junto, catorce días de agonía mental sabiendo que esto ya acaba. Al día quince lanzo la primera granada cibernética. No es creativa para nada, pero Rox se la cree, y eso es lo único que cuenta.

«Un meteoro se aproxima a la Tierra, tenemos solamente cuarenta y ocho horas para llegar a un refugio en la montaña».

Me envía el blog que yo he plantado en su Feis. Está fuera de sí. Le digo que estoy preparada, que de inmediato paso a recogerla.

La encuentro hecha un mar de lágrimas, corriendo por todo su departamento tratando de juntar en una mochila sus bienes más preciados. Le pido el teléfono y su tableta. Le digo que han dicho en las noticias que las irradiaciones magnéticas gama-beta-teta que salen de los teléfonos aceleran al meteoro y que han pedido que mantengamos al planeta en silencio total. «Pero no le he avisado a nadie», se queja. La miro con cara de sargento. Me entrega sus aparatos. Puedo ver que tiembla, los efectos de la abstinencia se muestran de inmediato.

En el automóvil empieza a recitar pasajes de la Biblia. Rox es también "loquita Dios", obviamente tenía que ser así. Queda clavada en un fragmento que la pone ultra nerviosa.

«Los cielos pasarán con gran estruendo, y los elementos serán destruidos con fuego intenso, y la Tierra y las obras que hay en ella serán quemadas».

Quiero decirle la verdad, pero ya estoy embarcada. Me habla del terremoto de Chile, del de Japón, de las trompetas del

Apocalipsis que escucharon en Comodoro Rivadavia, me pregunta si enfrentamos el meteorito 1950 DA, el que los científicos dijeron podría acabar con la vida en la Tierra cuando colisione con la superficie del planeta. Me quiero reír, pero en lugar de eso me pongo seria y le contesto que no estoy segura del nombre, y luego le digo que tal vez sí, quiero que tenga dudas, que se quede conmigo. La tengo que espantar o no logro mi cometido.

En la calle pasamos cerca de manifestaciones y Rox se altera, piensa que son peregrinos dirigiéndose a pie al refugio en lo alto de las montañas. Al doblar una avenida escuchamos a lo lejos unas trompetas, yo sé que son de un restaurante mexicano pero me muerdo la lengua, literalmente, cuando ella alucina a los ángeles acercándose. ¡Me hago la pila! No sé cuánto podré aguantar. Me habla de las pestes, de las guerras, de los pecadores, los siete sellos, los falsos profetas, el ébola, y del arca sino-tibetana que nos podría haber salvado si hubiésemos estado en la China y comprado pasajes con anticipación. Me provoca cachetearla. En su mente se recuecen tantas cosas al mismo tiempo que es difícil seguirle el hilo mental a su monólogo de arrepentimiento y teorías. Me da curiosidad hasta dónde podré ensanchar esta parodia, pero también me da penita que no la capte. Me estoy burlando de ella en su cara y Rox no asimila ni michi.

Calla por un momento. Está sumida en sus pensamientos. Aprovecho para respirar con calma. Disfruto su silencio. En seguida recuerda la luna roja del otro día y otros versículos llenan su boca.

«Y haré prodigios en el cielo y en la Tierra: sangre, fuego y columnas de humo. El sol se convertirá en tinieblas, y la luna en sangre, antes que venga el día del Señor».

Dejamos el paisaje citadino atrás y veo que Rox respira pausadamente. Alaba los ejercicios de respiración diafragmática que aprendió en el YuTu con un video titulado "Cómo respirar para no morirte". Le digo que cuando lleguemos a la cima del monte me tendrá que mostrar cómo es la cosa ya que en mis treinta y dos años de vida nunca se me ocurrió tener que respirar de cierta manera para evitar la "piyama de madera".

Le digo que la estoy llevando a una cabaña en un bosque, un sitio «muy lindo, muy tranquilo, en donde se puede escuchar a los pajaritos cantando todo el día y el aire es fresco». Se alegra. Me tira una última cita bíblica.

«*Y sucederá que todo aquel que invoque el nombre del Señor será salvo; porque en el monte Sion y en Jerusalén habrá salvación, como ha dicho el Señor, y entre los sobrevivientes estarán los que el Señor llame*».

Pregunta si este lugar podría ser considerado como un Sion. La miro de reojo. Asiento. A estas alturas ya estoy demasiado envuelta en mi propio teatro como para dar marcha atrás.

En realidad no sé si habrá cabaña o bosque allá arriba, pero si no encuentro algo apropiado siempre le puedo decir que debe ser que el pterodáctilo que encontraron en Montana hace unos años destruyó todo. A lo que Rox asentirá, derramará una lagrimita o dos por los afectados del monstruo prediluviano, me dirá que también lo han visto en muchos lugares del mundo y que si no nos enteramos es porque el Gobierno prefiere mantenernos "incautos". Y es que mi amiga tiene un manejo "sifilítico" del lenguaje, usa palabras de a cinco dólares de manera incorrecta.

Cuando arribamos a la cima yo ya estoy a punto de tirarme por el precipicio. Me duele la cabeza de tanto escuchar idioteces. Me cuestiono el porqué de mi amistad con Rox. Sonrío al recordar que su personalidad de perrito faldero siempre me ha fascinado. También el hecho de que debe ser más fácil vivir sin entender la realidad de las cosas.

Para mi sorpresa, encontramos un bosque y un lago allá arriba. La temporada está al finalizar pero todavía hay grupos de campistas. Rox lo toma como una señal de que no seremos las únicas en este mundo nuevo. Doy unas cuantas vueltas por el lugar hasta encontrar una cabaña en apariencia desocupada.

Durante la semana que estamos en el "Nuevo Génesis", como a Rox se le dio por llamar a nuestro coto en las alturas, tengo la gran fortuna de que el universo me apoye con un terremoto, un eclipse lunar, y un fuego en una villa cercana. Incluso sin el Internet ella encuentra confirmación en todas partes. Su mente es maleable, adapta las circunstancias a las gafas con que ve la vida.

Es entonces que me doy cuenta de una realidad paralela a la mía. Rox nunca cambiará. La que fue transformada con este juego del fin del mundo fui yo. Si mi amiga se creyó todo lo que le dije sin cuestionarlo durante siete días, me imagino el poder que podría tener sobre un batallón de ilusos. A regresar a casa rápido, que tengo mucho que hacer y todo lo que necesito está a la mano en el Internet.

Rina Soldevilla nació en Junín, Perú, reside en New York. Es administradora de empresas, escritora y ambientalista. Ha publicado: *Cuentos siniestros* (Ed. Juan Navidad, 2015, USA), *Los ojos de Ignacio* (Ed. Urpi 2017), *Cuentos extraordinarios* (Ed. Juan Navidad 2015, USA). *Las fábulas de Rina* (Editorial Books & Smith, 2017), *Tales of the Extraordinary* (Editorial Books & Smith, 2018), *La cuna de mis poemas* (Editorial Books & Smith, 2018). CD, grabación en la propia voz de la poeta de una selección de sus poemas con música compuesta por ella misma (Editorial Soldevilla, 2018). El tener una formación pluridisciplinaria de danza, composición, arte teatral y escritura le ha valido ser considerada como promotora de la cultura peruana con reconocimiento tanto en el Perú como a nivel internacional. En el 2019 ha sido premiada en Bruselas, Bélgica, por ser difusora de la cultura hispana. Paralelamente a esta edición estará publicando su primera novela, *Pesadilla en el túnel*, desbordante de horror y misterio. Dirige y conduce un movimiento ambientalista y ecologista en la selva central del Perú.

Para contactar: rinasoldevilla@gmail.com

Confesión
Rina Soldevilla

Un día estuvimos platicando hasta muy tarde mi compañera y yo. Me encantaba ser su mejor amiga, nos contábamos de todo y compartíamos la aventura de tener noviecitos de nuestra edad. Nuestros padres pensaban que aún éramos muy jóvenes para enamorarnos, pero a mis catorce años yo pensaba que sabía todo del amor.

Me despedí de ella y me dirigí a mi casa, que no quedaba muy lejos. Lo que me disgustaba y asustaba era que tenía que pasar por un cementerio. La poca gente que todavía estaba afuera se apresuraba en llegar a sus refugios porque parecía que iba a llover. Las nubes oscuras habían cubierto el cielo y el viento empezaba a soplar fuerte. Cuando llegué cerca del camposanto un escalofrío invadió todo mi cuerpo, pero no me quedaba más remedio que seguir adelante. Apresuré el paso, aunque las piernas se me doblaban a causa de un extraño miedo que se apoderó de mí. De repente un ruido detrás de mí me hizo dar un brinco. Al dar media vuelta pude notar unos arbustos moviéndose. Empecé a correr desesperada. Casi sin aliento llegué a la puerta de la casa.

Traté de recuperarme antes de entrar para que mi hermana mayor no se burlara de mí. Ella sabía que el cementerio me daba pánico, aunque yo tratara de disimular. En efecto, entré y ella empezó a fingir un estrangulamiento, haciendo gestos guturales.

—Yo también deseo lo mismo para ti —le dije.

Corrí a mi habitación sin saludar a mi madre que estaba cerca de allí. Al llegar arriba la escuché recriminándola y pidiéndole que no me molestara más. Ella, en vez de tomar en serio esas advertencias, se alejó riéndose.

Al estar sola me puse a meditar. ¿Qué pudo ser aquel ruido? Me tranquilicé al pensar que lo más probable era un gato o una ardilla. Ya antes había visto esos animalitos merodeando ese lugar. Sin embargo, no quería mirar por la ventana. Tenía la sensación de que algo o alguien me vigilaba desde afuera.

A la mañana siguiente me sentí renovada. Ni siquiera tuve esas pesadillas que siempre me atormentaban; eran unos sueños horribles donde yo me encontraba sentada frente a una inmensa mesa llena de abundante y exquisita comida. Unos deliciosos manjares dignos de un rey. Al estar sola en ese lugar, miraba para todos lados e inmediatamente empezaba a devorar todo lo que podía. Mi apetito insaciable no se calmaba con nada. Pero cuando quería incorporarme para alcanzar más comida, me daba cuenta de mi excesivo peso corporal. Me sentía tan pesada que apenas podía moverme. Horrorizada veía mi estómago agitarse; de vez en cuando se levantaba mi vientre como si muchas serpientes se estuvieran entrelazando entre sí allí adentro. Enseguida mi horror no tenía límites cuando aquello tan sabroso sobre la mesa se transformaba en un banquete de asquerosos gusanos de colores que se retorcían, gigantes cucarachas que nadaban en miel, tarántulas peludas salían de las cuencas vacías de la cabeza de un cerdo.

Al mirar mi barriga sentía que iba a explotar a la vez que me daban ganas de vomitar. En eso veía salir de mi boca melosas culebras que se contoneaban frente a mí.

Despertaba ahogándome y sudando. No quería volver a dormir por miedo a seguir soñando lo mismo. En ese momento tenía asco de todo.

Esa pesadilla me acosaba siempre. Nunca conté acerca de estos sueños a mis padres; de todas maneras, ellos no podrían ayudarme. Tampoco le mencioné algo a mi hermana porque tendría un motivo más para burlarse de mí. Y por supuesto que no le daría ese gusto.

*****

Ese día el sol brillaba en todo su esplendor y lo mejor de todo era que no había clases en la escuela porque ese viernes era feriado. O sea que me esperaba un largo fin de semana y me propuse pasarlo bien.

Optimista, bajé las escaleras y fui a la cocina para hacerme el desayuno. Me sorprendí al ver a mi madre preparando los alimentos, mientras mi hermana esperaba con cara de sueño. Di un bostezo y las saludé con un «buenos días».

—¿Buenos días? Dirás buenas tardes —acotó la muy sabandija, siempre dispuesta a bajarme la moral. Pero ese día decidí hacer caso omiso a sus comentarios. Tenía mucha hambre y no dejaría que nada arruinara mis planes. Comí tostadas, huevo, salchichas y bebí un riquísimo jugo de naranja.

Ella, mi hermana, me miraba de manera extraña, hasta que no pudo esperar y atacó.

—Has comido como un cerdo, vas a explotar —dijo.

Inmediatamente las imágenes de mi pesadilla se agolparon en mi mente. Recordé cada repugnante momento y reviví aquellos episodios, cuando bichos asquerosos salían de la comida. No pude soportarlo. Me dieron ganas de vomitar, corriendo fui al baño.

Cuando por fin pude salir, tenía la garganta irritada, los ojos rojos llenos de lágrimas y la cara que me quemaba.

Las oí a ellas hablando algo, me apresuré a refugiarme en mi cuarto y me encerré. No salí por todo el resto del día.

Al llegar mi padre en la tarde fue a buscarme. Simplemente le dije que no me sentía bien, pero que pasaría pronto. Dudoso, se alejó cerrando la puerta tras de sí.

El teléfono sonó. Era mi buena amiga. Muy entusiasmada me comunicó que mi enamorado y el de ella nos esperarían a la noche en la pizzería de siempre. Cuando habló de comida mi estómago protestó. Entonces le propuse ir al cine en vez de ir a comer. Ella me respondió que los tres querían pizza. De mal humor le dije «buen provecho a los tres» y colgué el teléfono.

Me paré de la cama y me dirigí al armario. En la puerta de este había un gran espejo. Me acerqué para mirarme en él mientras dilucidaba por qué ellos únicamente pensaban en comer cuando existían otras cosas que podríamos hacer. Por ejemplo, yo no debería comer tanto. Mi figura se estaba deformando.

No dejaba de examinarme en el espejo de arriba a abajo, de atrás para adelante. Pronto concluí algo alarmante: ¡estaba gorda!

Pero qué podía hacer, si al tener hambre quería comer cualquier cosa y no podía evitarlo.

Mi hermana tenía razón: si continuaba comiendo iba a reventar. En ese instante me di cuenta de que los sueños tenían un significado; pero ¿cómo evitar la tentación cuando el hambre apremia?

Estaba sumida en mis pensamientos cuando un ruido dentro del armario hizo que mis cavilaciones se esfumaran.

Noté que la puerta del armario estaba cerrada. Otra vez los ruidos. Eran como uñas rasgando la pared.

No me había percatado de lo tarde que era, solo un ápice de luz se colaba por la ventana.

Encendí las luces. Los rasguños cesaron por un momento. Enseguida comenzaron otra vez.

No sabía si alertar a mis padres o investigar por mi cuenta. Elegí la segunda opción para que mi hermanita no se enterara de mis temores.

Tratando de ser sigilosa me fui acercando hacia el lugar de donde provenían los sonidos. El piso resonaba escandalosamente con cada paso que daba. Levanté mi mano temblorosa para coger la manija y abrir con rapidez. No tenía la menor idea de cómo algún animal se pudo haber metido dentro de mi guardarropa. A menos que mi querida hermana lo hubiese hecho a propósito para burlarse una vez más de mí. Si era eso, no le daría el gusto de gritar. Así es que estaba preparada para ver salir un gato de allí.

Abrí lentamente la puerta. Nada se asomaba al principio. Así que me acerqué por completo. Y de repente una aparición diabólica se hizo presente ante mis ojos. ¡Era un monstruo!

No pude evitarlo: retrocedí, a la vez que gritaba a todo pulmón. Mi familia irrumpió en la mitad de la habitación. Yo seguía gritando hasta que mi padre me abrazó. Me pidió calmarme y con voz enérgica me exigió una explicación acerca de mis alaridos.

—¡Un monstruo en mi armario, un monstruo en mi armario! —yo no dejaba de repetir a viva voz.

Él me hizo a un lado, cogió un bate de madera y cautelosamente se dirigió donde yo le apuntaba. Las tres nos quedamos mirándolo. Empezó a remover las ropas esperando que en cualquier momento el intruso se hiciera visible.

El tiempo pasaba. Mi padre perdía la paciencia.

Después de haber auscultado cada rincón del lugar me dirigió una mirada incrédula. El esperpento había desaparecido.

Le juré que yo había visto un monstruo allí dentro. Él arrojó el objeto al suelo, sin decir palabra se alejó. Mi enemiga se puso la mano en la boca para no soltar una carcajada y entre risitas se fue. Al quedarme a solas con mi madre le conté cómo habían ocurrido las cosas. Con voz calmada me dijo que cuando yo "creyera" ver cosas feas, que tratara de serenarme y actuase con lógica, porque la siguiente vez mi padre no sería tan benevolente. Diciendo esto se fue.

Me dejaron sola sin importarles cómo me sentía en ese momento.

Entre sollozos me quedé dormida. Esa noche la pesadilla se volvió más trágica. Aparecía un nuevo personaje en mis sueños. Era aquel ser tenebroso que vi en mi cuarto.

Como siempre, devoré la comida hasta el cansancio; pero cuando apareció el ente, quise huir y mi enorme masa corporal no me dejaba mover. Mi cuerpo era un plomo, mis pasos lerdos me hacían verme corriendo en cámara lenta. Sin embargo, aquel despreciable ser era ágil y me acechaba con crueldad.

Un ruido fuerte me hizo despertar. Jadeando y sudando me senté en la cama.

¿Qué fue lo que me hizo abrir los ojos?, pensé. De todas maneras, me alegré de haber despertado.

Mis sábanas estaban mojadas. Decidí levantarme para cambiarme de ropa.

Otra vez ese sonido en el armario paralizó mis miembros en un segundo. Me sentí igual que una niña asustada. No podía moverme con facilidad. Hice un esfuerzo sobrehumano y pude encender las luces. Mis ojos se abrieron al máximo cuando la puerta del clóset empezó a temblar, me quedé pasmada luego de que se abriera lentamente. Quise gritar, pero recordé el ridículo que hice antes. Decidí entonces enfrentar lo que fuera.

De súbito una mano peluda con garras apareció cogiendo la manija de la puerta y empujándola.

Yo miraba con espanto. Parecía que mi cuerpo se había pegado contra la pared porque no podía mover ni un centímetro de mí. En eso apareció su cabeza, dejándose ver todo íntegro. Era un monstruo real; su cara horripilante, su cuerpo era una masa deforme y en su hocico se divisaban unos colmillos negruzcos. Su piel era escamosa, su ancha nariz y sus ojos rojos matizaban perfectamente con su fealdad. Me miraba fijamente y yo sin poder moverme.

Dentro de mi aturdimiento sabía que, si gritaba, ese animal se volvería a ir y al día siguiente temprano lo primero que harían mis padres sería llevarme al psiquiatra o al manicomio.

Cavilé que sería mejor enfrentarme a la cosa. Si dentro de esa lucha yo moría, mi familia tendría que cargar con la culpa y arrepentirse el resto de sus días por no haberme creído.

Decidí quedarme. Miré el reloj, daban exactamente las 3:00 a.m.

El engendro se acercaba a mí arrastrando las patas. Asustada, le iba a preguntar qué pretendía de mí. Este se adelantó y habló:

—Hola gordita. Vengo en paz. No vine a molestarte.

Escuchar a esa monstruosa aparición hablar nubló mis sentidos; casi desfallecí. Él continuó hablando:

—Mi nombre es Aricle, vine a tu casa por poco tiempo; quiero ser tu amigo y apoyarte. ¿Qué te parece si para empezar le damos algunas lecciones de buen comportamiento a tu hermanita?

Me di cuenta de que ese demonio estuvo espiándome algún tiempo. Pero lo que propuso al final me encantó. Por fin pude soltar mis músculos y hasta sonreí con malicia. Luego se despidió y prometió regresar.

Caí en un sueño profundo. Esta vez soñé que aquel monstruo cogía una daga filosa y despedazaba a todas las alimañas que estaban en los alimentos. Él luchaba contra todos y terminó venciendo.

En la mañana no tenía ganas de levantarme. Mi madre insistió que ya era tarde y yo debía tomar el desayuno. Me acordé del horrible ser que habitaba en mi armario, por eso me apresuré y bajé directo a la cocina. Mi hermana, como siempre de buen humor, le contaba un episodio de la escuela a mamá, a la vez que se preparaba un pan con mantequilla de maní y mermelada.

Saludé a mi madre y me serví leche, tostadas y huevos revueltos. Con voz sarcástica mi hermana preguntó: «¿Todo eso vas a comer?». En eso vi un extraño líquido verduzco resbalar de su boca. Me quedé extrañada mirándola relamerse los labios. Cuando le pregunté qué era aquello verde que estaba comiendo, me respondió que no le cambie la conversación. Aun así, se asomó para ver de cerca su emparedado. Lo abrió, cuando vi lo que había allí adentro, instintivamente di un brinco para atrás; en medio de los panes estaba la mitad de un inmenso y gordo gusano retorciéndose. Los ojos de ella parecían querer escapar de sus cuencas y sin poder levantarse vomitó encima de la mesa hasta no poder más.

Felizmente pude esquivarla para no ensuciarme, al mismo tiempo que la insultaba y le decía lo asquerosa que era. Sin agregar más, subí a mi cuarto a toda prisa para que no solicitaran mi ayuda. Ella debería encargarse de lo que hizo. Una vez dentro de mi habitación, me reí como nunca. En un segundo mi risa se disipó abruptamente: Aricle apareció otra vez.

Por un momento me había olvidado de él. Pero allí estaba: sentado en mi escritorio con una gran sonrisa en el rostro.

—¿Te gustó la bromita? —me preguntó.

—¿Tú hiciste eso?

—Claro que sí.

—Creo que nos llevaremos bien —le dije entre risas.

*****

Lo que vino después fue una atrocidad. No quisiera recordarlo, pero tengo que ser fuerte para desfogar esta rabia que aún siento por dentro y afrontar esta calamidad que me acompañará por el resto de mis días.

*****

Ya casi me había acostumbrado a su presencia, pero lo detestaba. Era apestoso y lo peor era que nadie lo podía ver. Sin embargo, me prometió que pronto se iría; por supuesto, después de ayudarme. Al comienzo pensé que solo quería defenderme de mi hermana. No fue así.

Él pretendía algo más porque siempre estaba comparándome con mis amigas. En el fondo él tenía razón, ellas eran bonitas y esbeltas. Yo, en cambio, estaba bien gorda. Gracias a Aricle me di cuenta de ello y de lo grave que eso era. Mientras mis compañeras lucían bonitos vestidos para llamar la atención de los muchachos, yo trataba en todo momento de esconder mi cuerpo. Me sentía avergonzada de mi regordeta figura. Y cuando algún amigo se me acercaba, yo huía.

Mis amigas ya no me buscaban porque decían que yo me había vuelto antisocial, yo sabía que ellas se avergonzaban de andar con una cerda.

Aricle me aconsejó no seguir tragando. Me dijo que dejara de comer poco a poco para que mi cuerpo se volviera delgadito y hermoso. Me enseñó y casi me obligaba a seguir una dieta estricta; yo sufría de hambre. Incluso así, al verme reflejada en el espejo me veía más gorda.

Mi madre se percató de mis "dietas" y enseguida se propuso impedir que continuara con aquello. Ella me preparaba los alimentos y no me perdía de vista hasta que yo hubiese terminado. Desalentada y sintiendo una piedra en el estómago subía a mi habitación. Allí estaba Aricle, esperándome con cara de enojo por mi falta de voluntad.

—¡Tu madre es una tonta! No sabe todo lo que sufres por tu gordura. Ella no entiende que los jovencitos te desprecian a causa de ello —recriminó.

Entonces, cambiando a suave el tono de su voz me mostró trucos para expulsar la comida que antes había ingerido contra mi voluntad. Me enseñó cómo inducirme el vómito. Y el solo verle cómo se metía el dedo en su garganta haciendo gestos desagradables, me revolvía el estómago.

Al poco tiempo me volví una experta en hacerlo yo sola. Era excelente, al tener hambre podía atragantarme y enseguida expulsarlo como si nada.

Me fijé una meta; debía llegar a ser tan delgada como las famosas modelos que desfilaban en las pasarelas de París. Lo que no comprendía era por qué no bajaba de peso.

Mis padres empezaron a preocuparse por mí. Decían que yo me veía muy delgadita. Pero no era cierto, ellos decían eso para obligarme a tragar. Me sentía frustrada y acomplejada.

Aricle tampoco comprendía por qué mi peso iba en aumento. Entonces probó otro método; me ilustró trucos para que yo no probase bocado. Por ejemplo, escupir mi comida en la servilleta fingiendo limpiarme. En general a odiar la comida.

Algunas veces mis amigos llamaban por teléfono y me invitaban a salir, yo me negaba rotundamente, no deseaba que me vieran así. Prefería correr y correr hasta perder el conocimiento.

Tiempo después, ya nadie volvió a buscarme. El no poder bajar de peso me hundió en una terrible depresión. Lo peor era que mi propia hermana se burlaba de mi condición física. Muchas veces me llamaba: hueso, pellejo, canija, enclenque, etcétera. Parecía que todos se confabulaban para destruirme. Solo Aricle me comprendía.

Me rebelé en contra de mi familia; para herirlos más dejé la escuela. Me quedé sin amigos, pero no me importaba; solo saldría de mi encierro el día que me viera bonita y flaca.

Pero cierto día mi desesperación no tuvo límites. Ya no quería vivir más y traté de arrojarme por la ventana. Allí estaba mi único compañero para salvarme.

En esa etapa de mi vida ya no tenía necesidad de provocarme el vómito: hasta el agua me causaba daño. Cuando probaba un bocadito pequeño, mi barriga retumbaba en protesta y lo expulsaba inmediatamente. Apenas tenía fuerzas para acercarme al espejo. Al verme tan robusta y fea, enloquecía de verdad.

Mis padres no esperaron más tiempo, contra mi voluntad me llevaron al médico. No pude resistirme porque mi aliento para luchar era escaso.

Cuando el doctor dio el diagnóstico definitivo, yo no lo supe sino hasta un tiempo después.

El doctor me detectó un desorden alimenticio. De bulimia pasé a sufrir anorexia.

Mi caso era tan grave que tuvieron que hospitalizarme. Aún recuerdo a mis padres y a mi hermana llorando sin consuelo. En ese momento no entendía la actitud de ellos. Mi mente estaba confusa y a veces desmayaba. Al despertar solo podía balbucear palabras y casi no podía ver las imágenes a mi alrededor.

Cuando empecé a sufrir de bulimia nadie se dio cuenta porque me veían comer, no sospechaban que yo vaciaba mi estómago mediante el vómito y usaba laxantes para deshacerme de todo vestigio de comida. Era fácil; me sentía como un camión de basura: recogía el alimento, lo trituraba, lo pasaba y luego lo botaba. Una y otra vez igual.

¿Qué es lo que causó esto a mi organismo? Tanto vomitar, los ácidos estomacales subieron a mi boca; corroyeron mis dientes y encías, a causa de eso ahora tengo que usar algunos dientes postizos. Con esa práctica se dañaron también mi esófago y mis pulmones. Mis riñones e hígado casi colapsaron y mi corazón estaba próximo a sufrir un infarto. En el hospital los médicos lucharon para evitar la destrucción de mi función digestiva, parar la diarrea y el sangrado rectal.

Mi peso realmente había bajado dramáticamente con la complicación que vino después de la anorexia. Lo triste era que yo no me veía ni sentía flaca. Mi mente distorsionaba la imagen que proyectaba el espejo.

*****

Los doctores me lo explicaron en algún momento: Nuestras células tienen carga energética; durante nuestra vida hay que recargarlas comiendo sobre todo frutas y verduras, esto evita que las células que están como uvas se vuelvan como pasas. Al no ingerir los alimentos (frutas, verduras, algunas grasas, proteínas, etcétera), las células "se olvidan" que tienen que absorber vitaminas, sales, minerales... Es por eso que cuando la anorexia es severa, el cuerpo ya no acepta estos nutrientes ni mediante el suero directo a la sangre; la persona muere inevitablemente.

*****

En mí había un hálito de esperanza, los médicos anunciaron que mi organismo estaba respondiendo a los medicamentos, entre ellos los sueros intravenosos y los antidepresivos. Pero lo más importante para mí fue el amor y dedicación de mis padres. Día a día se cercioraron de que yo atendiera todas las terapias y psicoterapias. Allí tuve que reconocer que estaba enferma y aprender a vivir sin desorden alimenticio. Lentamente empecé a comer de manera normal otra vez, sin contar cada caloría. Aprendí a quererme como soy, a expresar mis sentimientos con palabras, no con malas acciones.

No sé cuánto tiempo estuve internada, pero cuando me dieron de alta me invadió un pánico indescriptible. Yo sabía que él estaría esperándome en casa.

Me sentía como si regresara a la cárcel después de haber vivido libre por un tiempo. Quizás estaría enojado conmigo porque fui débil y no cumplí con sus expectativas, o a lo mejor se cansó de esperarme y se marchó para siempre.

Rogué para no encontrarlo en mi dormitorio, no quería volver a verlo. No deseaba caer y entregarme a sus garras malditas. Él era un ser maligno, no digno de fiar. Pero me tocaba luchar sola porque nadie lo podía ver.

En efecto, regresé a mi hogar. Daba pasos lentos, pero ya podía caminar. Mi hermana estaba junto a mí, dispuesta a ayudarme. Les pedí a todos que por favor me dejaran ir sola a mi cuarto. Accedieron de mala gana, sonriendo cariñosamente me dejaron ir.

Subí lentamente las escaleras. Ellos no sospechaban nada acerca de mi temor ni se imaginaban que me dirigía a la "boca del lobo".

Abrí la puerta. Todo parecía en orden. Entré y cerré la puerta. Esperé un rato.

Cuando aliviada creí que el esperpento se había ido, apareció otra vez más feo que nunca. Tenía una expresión de odio en la cara y una pose amenazante.

Disimuladamente cogí el bate. El energúmeno, muy confiado de su fortaleza me dijo:

—De nada te sirvió tanta dieta. ¡Mírate en el espejo! ¡Qué gorda estás, pareces una albóndiga con patas!

Yo le respondí:

—Esta vez no te daré gusto. Por tu culpa tengo que cargar con esta enfermedad por el resto de mi vida. Por ti casi adquiero diabetes, pude quedar infértil. Pero no más. ¡Se acabó!

—¡Mírate en el espejo! —me ordenó.

Esta vez sonreí burlonamente. Él hizo una mueca de desconcierto. Enseguida me acerqué al espejo arremetiendo con todas mis fuerzas contra aquello. El monstruo me miró horrorizado.

—¡No, no! ¿Pero qué hiciste? —fue lo último que dijo, porque su cuerpo entero empezó a desintegrarse mientras un rictus de dolor no se borraba de su rostro.

Mi familia entró repentinamente en la habitación. Con caras de asombro me miraban con el bate en la mano y el espejo hecho añicos.

Al ver la desesperación en sus ojos les expliqué que no se preocuparan por mí. Les dije que había matado al monstruo que me atormentaba y que ya nunca regresaría.

Ellos no daban crédito a mis palabras, pero vi ternura y cariño en sus expresiones. Enseguida los cuatro nos abrazamos y lloramos juntos por primera vez.

"Hay un monstruo en cada armario,
depende de nosotros si lo dejamos salir".

--RS

 **Ricardo Vacca-Rodríguez** nació en el Callao, Perú, reside en Virginia. Es psicólogo - adiccionólogo. Ha publicado seis libros de su especialidad en el campo de adicciones. Entre ellos, *Los padres, los hijos y la pareja del adicto* (Editorial Opción/Oficina de Narcóticos de la Embajada USA, 1997, Perú), *Psicopatía, uso de drogas y violencia social* (Editorial Opción/Oficina de Narcóticos de la Embajada USA, 1997, Perú), *Estrategias participativas para el docente peruano aplicadas a la prevención del uso indebido de drogas* (Editorial COPUID, Ministerio de Educación/Oficina de Narcóticos de la Embajada USA, 1997, Perú), *Manual para Operadores escolares en la prevención del uso indebido de drogas* (Editorial Ministerio de la Mujer, 1997, Perú), *Drogas, historia, efectos y aspectos psicológicos del adicto a sustancias químicas* (Editorial Hojas de Coca, 2001, Perú), *Adicciones a sustancias químicas y adicciones no convencionales, Revista del colegio de Psicólogos del Perú* (Editorial CDN, 1997, Perú), *Psicopatología de la coadicción* volumen 4 No 4, Órgano Oficial del CDN (Editorial Colegio de Psicólogos CDR, 1999, Perú). En lo referente a la literatura, su obra más reciente es el libro de poesía, *En los trenes también viaja la melancolía* (Editorial Erradícame, 2018, España). Parte de sus poemas han sido publicados en el libro *Callao, presente, pasado y futuro* (Editorial CONCYTEC, 1989, Perú), revista *Zopilote* (1993, México), revista *Llano Literario* (Venezuela, 1991), revista *La Tua Uggia* (Tu sombra), *Apreciaciones acerca de la poesía peruana en la década del 80* (Italia, 1990) y en la colección poética, *Versos estivales* (Editorial Books & Smith, 2018, USA). En Perú, ha sido miembro del Círculo Literario Amauta y del grupo de teatro Los Grillos. Es actualmente integrante del Círculo Literario Letras Vivas en Virginia. Parte de su obra literaria está publicada en su blog: palabrasbrujas.blogspot.com. Colabora con los blogs de literatura y cultura hispanoamericana en España: periodicoirreverentes.org Para contactar: vaccarodriguez@hotmail.com

Perfume de cangreja
Ricardo Vacca-Rodríguez

Era un viernes de septiembre de un día no definido, la noche era incierta. Semanas atrás había ingresado a estudiar en la Universidad de San Marcos. Caminaba de forma despreocupada y alegre entre los eucaliptos, con mi morral repleto de libros y algunas frutas. Casi sin percibirlo, una mirada inquieta se desprendió desde una de las bancas de madera del pasadizo universitario. Mis pasos trastabillaron al escuchar sorprendido que pronunciaba mi nombre. Su voz era gruesa, su mirada delgada. Sentí en mi cuerpo un ligero temblor que no pude identificar si era de alegría o miedo. La amebosa sombra se acercó sigilosa, casi en puntillas, aproximó su boca a mi oído desatendido y murmuró unas palabras ininteligibles, luego sonrió. Sin tiempo para reaccionar ya había entrelazado su mano fría con la mía caliente. Minutos después caminábamos por los jardines, conversando acerca de la maldita rutina que transcurre como un viento sucio y que retorna incesante. Desde entonces no pude separarme más de ella y tuve que aceptar ese olor que emanaba de su cuerpo y que me perturbaba hasta la insinuación de un orgasmo.

Su compañía me ingresaba a una maravillosa embriaguez acompañada de punzadas que me atravesaban el tórax de sur a norte. En ocasiones, percibía su presencia a cierta distancia, el cuerpo se me estremecía y era como si reventaran metales en mi pecho. Una contradicción me surgía desde dentro: o huir de su lado cual perdido espermatozoide, o quedarme. En esos momentos de incertidumbre sentía que una angustia manchaba mi camisa y, de forma irremediable, retornaba a sus labios secos, sedientos y hermosos.

Desde que la conocí me obligó a levantarme muy de mañana para realizar insólitos rituales. Ella trepaba a los árboles para escoger las mejores lianas de ayahuasca. Se cortaba a veces las manos y los pies al recogerlas. Yo la esperaba bajo el guayacán mayor para curarle las heridas, untarle secreción de ojos secos de kambú y reconfortarla con masato fresco. A veces, ante esa espera de largas horas, yo leía pasajes del Corán o del Talmud; eso me ayudaba a descifrar sus besos, su corazón aterido y voraz. Su despertar matutino no era fácil y yo era su acólito de otra ceremonia impía. Cada tres cortas estaciones sucedía algo extraño mientras dormía: una membrana pálida de crisálida le cubría el cuerpo. Al despertar ella la rasgaba, me miraba con su único ojo rojo, me entregaba un beso furioso para después pronunciar aquella palabra impenetrable que nunca me atrevía a repetir y que me hacía sentir, en el fondo del pecho, que la amaba. En medio de todo ese carnaval de maledicencia, teníamos también noches de encanto en que salíamos a recorrer los caminos aledaños. Recogíamos fascinantes alacranes de ojos amarillos o nos entregábamos sobre la yerba en abrazos, mordiscos y besos desenfrenados.

Varias estaciones me mantuve secuestrado por el encanto de esta mujer que no se agotaba de sorprenderme. Como aquella vez en que se tatuó en la palma de la mano izquierda un ojo, y al anochecer, antes de acostarse, me instaba a que lo acariciara y besara con unción.

Cierta noche la sorprendí dibujando insólitos signos entre las cenizas de los leños, ella no se inmutó y me dijo simplemente que estaba apagando el fuego, y desde entonces se cuidó de pronunciar sus cotidianas y raras palabras siempre recitadas a media luz.

Como si fuera la ordenanza de una bula papal, me prohibió que continuara vinculado a mis hermanos. Desde entonces me alejé de ellos y, en definitiva, de mis amigos de la universidad. Aislado, y con un claro sentimiento de secuestro amoroso, tuve que permanecer a su lado durante las catorce estaciones siguientes.

Me obligaba a acariciar sus pocos cabellos, cantar su nombre bajo el árbol de aguaje, besar sus labios secos y verdosos y que le dijera en su dialecto que la amaba. Toda esta presión psicológica me impulsaba a esconderme dentro de los árboles.

Hace tres estaciones, antes de su cumpleaños, nos mudamos a un cómodo apartamento cerca de un mercado público. Por esa época amorfas pesadillas me torturaban: soñaba con seres que salían de las ollas ubicadas en la cocina, y, precipitándose sobre mí, me levantaban en vilo, me abrazaban y luego me lanzaban contra el suelo. Al abrir los ojos yo yacía en el piso con oscuros moretones en el cuerpo que semejaban besos insaciables. Ella nunca me creyó y esos hechos insólitos provocaban fuertes escenas de celos entre nosotros. En ese cumpleaños me obligó a que le regalara corales que yo debía recoger del fondo del mar.

En sus habituales arrebatos de histeria me lanzaba reproches y acusaciones sin sentido. Me acusó de haber agotado el perfume que desde hacía varias estaciones emanaba de su cuerpo por aspirarlo demasiado y también de haberle ocasionado esa cojera de la pierna izquierda.

Desconcertado y extenuado, y después de explorar mis recursos y sin ninguna otra alternativa, hui de casa en busca urgente de mis amigos, mis hermanos, el tiempo perdido. Las estaciones habían transcurrido de forma inexorable y caí en una oquedad. Mis amigos habían muerto, desaparecido de circulación o viajado a diferentes pueblos. Fui envejeciendo vértebra tras vértebra, mordido por los recuerdos. Dormí bajo los árboles, me enrolé con los cazadores de serpientes, pero era libre. La madrugada me sorprendió sediento innumerables veces, con las estrellas congeladas en mi frente o cubierto de aguacero.

Felizmente, ejercitando mi autocontrol y después de haber transcurrido unas dos estaciones más, pude manejar todo esto, hasta encontrar un cuartito en el ático de una antigua casona que desde entonces se convirtió a la vez en vivienda, *atelier*, cuarto de música, gofinoteca y catedral de los sueños.

Varias estaciones después, en paz y lejos de ella, mientras leía los periódicos pasados en una banca del parque, cerca del río, me pareció percibir su olor, el sonido de su cadena y su voz fantástica. A mi espalda alguien pronunciaba mi nombre con ternura. Sin voltear la vista la reconocí: «¡Tú eres mi amor, cangreja, la del tatuaje eterno!». Me abrazó con dulzura, ésa que sólo sienten por la muerte los suicidas. Me pidió que nuevamente la tomara por la cintura y besara sus maravillosos labios verdosos, secos y cuarteados. Vestía una pequeña falda de yute, una delgada cadena de cobre enredada en el tobillo izquierdo, de su lengua pendía una diminuta argolla y llevaba el cabello amarrado con una cinta de cuero.

Me había buscado incansablemente, consultando a curanderos y chamanes. Ellos, haciendo acopio de sus maleficios y artes de encantamiento, le leyeron el café, el humo del tabaco y las hojas de coca. Sin embargo, sus elementos no dieron con mis huellas. Recorrió muchos pueblos anónimos, llegó al límite donde viven comunidades nativas que practican el canibalismo. Alguien le dio informes difusos acerca de mí, pero todo fue en vano. Entonces, resignada, abandonó su objetivo. Me narró además que nunca dejó de pensar en mí, que después de muchos esfuerzos tenía cumplido uno de sus más grandes anhelos: comprar para nosotros un cementerio.

Su voz sonaba metálica. Me miraba con su ojo bello, único y enrojecido. Sus labios temblaban al igual que sus manos huesudas y hermosas. Mientras me hablaba, lanzaba sobre mi rostro briznas de escupitajos y sueños. En un instante ya estaba nuevamente en sus brazos y sus uñas intentaban clavarse en mis nalgas en un intento de abrazo feroz y tierno. Comenzó a olfatear mis cabellos como lo hacía antes. «Regala tus trajes», me exigió, «regala tus camisas blancas, déjate nuevamente la barba, el cabello largo, arroja tus mocasines y tus corbatas al río».

«Ahora tengo más arrugas en el rostro, el cabello se me está cayendo, estas pobres alas ya no pueden más», confesé. «Déjame descansar un momento en la ribera del río, este encuentro ha sido demasiado para mí. Coloca tu dedo sobre mi frente como lo hacías diez estaciones atrás, apaga por un momento el tiempo. Me es urgente recobrar el sonido del tambor, abrir lo inasible, recomponer los pedazos de nuestras madrugadas, sanar estos mordiscos que me ha dado tu ausencia, hacer que chorree de nuestras bocas aquel beso increíble para derramar sobre mi pecho la corteza de sangre, la reciente espuma de amor y ayahuasca, escuchar la reinvención dinámica de tu voz a través del viento, escapar, escapar, pues todas las puertas me llevan al mismo salón de espejos. El milagro estará en alguna zanja, en la periferia del pueblo, en la belleza que nos da la locura, o en el centro mismo de tu muerte. Allí no hay vértigo posible».

Detrás de la pared
Ricardo Vacca-Rodríguez

Hoy por la noche se cumple el plazo. Siento una presión intensa en el centro del pecho, la misma que me ocurre cada vez que tengo que tomar una decisión importante y la postergo. De mi respuesta depende mi vida, o tal vez mi muerte. Mientras retornaba de mi trabajo en el tren expreso, recordé cómo se originó todo esto y nuestro primer encuentro.

Era casi medianoche, me desperté sobresaltado al escuchar el tintineo de copas en el comedor y luego un sonido como de alguien arrastrando una silla. Yo vivo solo; por eso mi sobresalto fue mayor cuando vi que la puerta del dormitorio se abrió y cerró de forma intempestiva. Un escalofrío me recorrió desde la nuca hasta la cintura. Me cubrí con la sábana de arriba abajo y, a pesar de eso, percibí un intenso y desagradable olor a flores podridas que invadía el dormitorio. Sequé con la sábana el sudor frío que bañaba mi frente. Luego advertí un sonido como si el aire se fuera quebrando a pedacitos y cayera al piso como piedrecillas molidas. Me resistía a enfrentarme a lo que fuere, de manera lenta fui descubriendo mi cabeza y allí estaba, una forma femenina resplandeciente en medio de la oscuridad del dormitorio, mirándome. Se acercó a mi cama sin tocar el piso con la lentitud de un soplido. Ignoro si era yo o la temperatura de la habitación que había descendido de forma notable, mi cuerpo sudoroso temblaba. No obstante el velo transparente cubriendo su rostro, pude distinguir sus ojeras oscuras rodeando sus ojos grises y profundos, sus labios secos y azulados. A pesar de lo incomprensible de su presencia, admito que me impresionó su belleza de virgen antigua. Sus labios se despegaron con dulzura y me habló. Su voz tenía un eco, que me daba la sensación de que me hablaba desde el fondo de un pozo. Repuesto de mi sorpresa, la escuché sigiloso. Me dijo que se llamaba Kalir y que tenía la edad de la noche. A partir de ese momento su presencia se apoderó de mis madrugadas y secuestró mis pensamientos con cada visita nocturna. Su característico olor a flores podridas y ese peculiar sonido de piedrecillas molidas que caían sobre el piso me anticipaban su visita cada noche. Después me invadía una agradable corriente de aire frío y, mientras me hablaba, el peculiar aroma que emanaba de su figura etérea por momentos me hacía lagrimear. Recientemente me ha permitido que le tome sus manos frías y las siento penetrándome desde la palma de las manos hasta los talones, haciéndome estremecer. Nuestras conversaciones son interminables, pero lo que me desagrada es que, en lo mejor de ellas, ella mira a su alrededor como intentando descubrir a alguien o escuchar algún oculto llamado y me dice de forma cortante:

—Lo lamento, debo dejarte. —Se marcha en lo más interesante de la conversación. Múltiples veces le he preguntado: «¿A dónde vas?, ¿quién te llama?». Y por única respuesta he recibido un beso en los labios a través de su velo, dejándome su sabor a madera mojada y la sombra de su dedo frío y divinamente huesudo sobre mis labios, señalándome que calle.

—No me comprenderías, tú no comprendes aún muchas cosas —termina diciéndome para luego desaparecer atravesando la pared, en tanto la habitación recobra su aroma y su temperatura natural.

Ante mis sucesivos reclamos por su abandono durante nuestras conversaciones, fui yo quien provocó que ella me lanzara su ultimátum. Era cerca de las once de la noche, me hallaba sentado en medio de la sala sobre mi pequeña alfombra, realizando mis meditaciones antes de entregarme al sueño, cuando ese olor a flores podridas y ese sonido ya tan familiar para mí me anunció que se aproximaba su llegada. *Ya está aquí*, me dije, mientras mi gato huía temblando a esconderse debajo de mi cama. Abrí los ojos y allí estaba, resplandeciente como siempre, flotando en medio de la sala.

—Vengo solamente a desearte dulces sueños —me dijo con su voz hueca y maravillosa.

—Esto no puede continuar Kalir, llegas y súbitamente te vas... dejándome desolado, inquieto, con preguntas y disquisiciones.

—No puedo permanecer más tiempo que el que te doy, tengo normas que cumplir y por venir a verte las estoy quebrando, lo cual me está causando conflictos con los centinelas. Tú no entenderías —explicó.

—¿Me crees torpe? Dime de qué se trata y lo comprenderé.

—Te propongo algo —me dijo, señalándome con uno de sus dedos delgadísimos—. O vienes conmigo definitivamente o no me verás más. Regreso en tres madrugadas por tu respuesta. —Y se desvaneció a través de la pared, como siempre.

Hoy por la noche se cumple el plazo. Esta intensa presión en el pecho y esta indecisión me ha perturbado todo el día. La balanza se inclina de un lado al otro. Por una parte, no tengo mucho que perder, salvo un par de amigos que veo con poca frecuencia con los cuales nos mentimos acerca de nuestros éxitos y amores, un sueldo miserable que me obliga a raspar las ollas del día anterior, mis lentes Ray Ban que compré en el Mercado de las Pulgas, y un apartamento sombrío que ni siquiera es mío. Por el otro lado, la tendría a ella para estar a su lado por siempre. Pero me pregunto ¿cómo será vivir con ella?, ¿vivir?

*****

Son las once y cincuenta de la noche. El gato ha escapado a su escondite, eso me anuncia que ella se acerca. Huelo su olor a flores húmedas de cementerio, las piedrecillas caen como pesadas gotas negras y esa agradable corriente fría que me estremece. Ella está llegando, mi decisión la tengo atravesada en la garganta.

El beso de la medianoche
Ricardo Vacca-Rodríguez

Nunca tuvimos una discusión como la de anoche. Ella gritó, me lanzó esa mirada de feroz enojo y uno de los zapatos azules que le regalé para su cumpleaños. Me dejó hablando solo. Salió del dormitorio lanzando la puerta, estremeciendo los cristales de la ventana, derramando sobre la alfombra las dos tazas con té verde y mi infinita sorpresa. Me quedé sentado al borde de la cama, esperando su retorno. Tras media hora de haberse filtrado el silencio por las hendiduras del apartamento, opté por desnudarme. Apagué la luz y me acosté.

La soledad mordió mi cuerpo. Con la oscuridad algunas preguntas surgieron en mi mente: ¿Por qué ella reaccionó de esa forma? ¡Era la primera vez que se comportaba de ese modo! Y ¿si fuera yo el responsable de su disgusto y no lo estaba reconociendo? Preguntas para las cuales no tenía buenas respuestas. Sin embargo, sus últimas palabras antes de lanzarme la puerta en mis narices: «Eres un canalla», todavía se agitaban en la noche como pancartas y sus afiladas verdades me herían. No podía extraerla de mi mente. Pensaba en sus senos redondos, en la línea de sus piernas, en su voz ronquita de cantante de bolero. Ignoro en qué momento me quedé dormido.

El árbol de la noche crecía imperturbable cuando mi sueño profundo fue interrumpido por un beso tierno en los labios. En un inicio pensé que eran las ensoñaciones de estúpido enamorado. O tal vez era ella que silenciosa pretendía disculparse con un beso. Me quedé quieto. Buscaba un indicio, una explicación lógica. De pronto, un segundo beso, incluso más intenso y efusivo que el primero, me extrajo de mis cavilaciones. Era ella sin duda, que, avergonzada, no atinaba a pronunciar palabra, solo me besaba, dejando mis labios humedecidos con aquella solicitud de erótico perdón. La oscuridad continuaba coronando la noche y ocultó mi sonrisa cómplice. Pasé mi lengua saboreando la exquisita saliva de aquel beso. Extendí mis brazos y busqué entre el silencio su cuerpo para atraerla hacia mí y corresponderle. Algo me sobresaltó. Un frío me bajó desde la nuca y recorrió mi espalda erizándome el cabello. Extendí mi mano temblando entre la oscuridad para encender la luz al percatarme de que yo vivo solo en mi apartamento.

El acertijo
Ricardo Vacca-Rodríguez

"Mi vida ha sido capricho, impulso, pasión,
Anhelo de la soledad, mofa de las cosas de
este mundo; un honesto deseo de futuro".
—Edgard Allan Poe, *Cartas personales.*

«Corres el riesgo de que te ame», le dije sonriente. Me miró sorprendida levantando ambas cejas, se puso de pie en su habitual forma sensual, y sin pronunciar palabra, giró sobre sus sandalias y se alejó sin responder a mis llamados, que en segundos se convirtieron en gritos. El sonido de sus pasos al caminar se perdía indetenible. Me asomé y me quedé con el rostro plano, aplastado sobre el cristal de aquella fría ventana de niebla. Al lado izquierdo de su silla quedó el cuaderno abierto, unas ecuaciones indescifrables y el acertijo sin resolver. Desde aquella oportunidad nunca más la he vuelto a ver a pesar de que la llamé innumerables veces. Haciendo acopio de mis facultades psíquicas me programé para comunicarme con ella por las noches mientras dormía... fue en vano, no la volví a ver, literalmente, ni en mis sueños.

Desde entonces la soledad empezó a filtrarse incontenible en mi vida, me vi impotente a detenerla. Poco a poco se introdujo en mis libros, capítulo por capítulo, se apropió de mi guitarra, llegó a conocer mis horarios. Sin poderla dominar, avanzó usurpándolo todo, cubriéndolo con el clásico olor gris de la melancolía. Solía esperarme en la puerta de mi apartamento al regresar de la oficina, me seguía hasta la cama donde yo recostaba a diario mi memoria fatigada. Cada noche el silencio celebraba en mi garganta la conversación con la nada.

*****

Desde hace cerca de treinta y tres años vivo solo en un apartamento en el Bajo Manhattan, New York. Los tres amigos que aún conservo desde mi adolescencia continúan llamándome el Viejo a causa de un mechón de canas en la parte frontal de mi cabellera que descubrieron mis compañeros en la escuela cuando tenía siete años. A esa edad sonaba cómico cuando ellos me llamaban el Viejo, pero ese apodo me hizo sujeto de burlas que me hicieron avergonzar. A mis treinta y tres años, las canas comenzaron a crecerme de forma abundante, cubriéndome todo el cuero cabelludo; lo cual, según algunos, me convertía en un hombre interesante, sobre todo para ciertas mujeres que decían que me otorgaba un aire de insondable imagen; no obstante, algunas otras personas me consideraban un penoso anciano.

Durante todo este tiempo, el vivir solo ha hecho que simplifique mi vida. Algunos sábados o domingos, toco mi guitarra o leo algún libro de física cuántica mientras escucho a Joan Manuel Serrat y bebo algunos vasos de vino blanco. Soy consciente de tener organizada mi vida, pero según opinión de mis amigos, "está desorganizada, no me doy tiempo para socializar", aluden ellos que, "estoy secuestrado por la soledad".

Trabajo en un anexo de una agencia bancaria, a tiempo completo, revisando el crédito personal de clientes. El sueldo no es miserable, pues me alcanza para colmar las necesidades de un hombre solo, además de darme ciertos lujos. Mis vecinos del tercer piso del edificio suelen aparecer muy temprano iniciando su habitual horario laboral y retornan por la noche, disolviéndose como sombras en las puertas de sus apartamentos. Desconozco sus nombres, soy incapaz de identificar sus rostros, cada día la rutina se destiñe sobre mi cabeza como una camisa vieja.

En verdad no recuerdo cuándo comencé a hablar solo. Al inicio lo hacía al despertar, desde mi cama verbalizaba la lista de tareas que planeaba realizar durante el día. Después lo continué haciendo rumbo al supermercado. Durante mis solitarios paseos dominicales en el Central Park habituaba sentarme en la tercera banca, cerca del lago, y mientras escuchaba al grupo de congueros y bongoseros cubanos y portorriqueños en sus hábiles interpretaciones de percusión, yo les lanzaba migas a las palomas, en tanto que hablaba, y reía en voz alta.

La gente común y silvestre suele rechazar o huir de las cosas raras, y más aún de personas extrañas; por eso en el tren expreso los pasajeros abandonaban sus asientos cercanos al mío al percatarse de que no tenía colocado mi audífono del celular y que estaba hablando y sonriendo solo. Pero eso a mí me tenía sin cuidado. Innumerables veces mis viajes fueron muy entretenidos al desarrollar diálogos conmigo mismo que concluían a veces en sonoras carcajadas. Con el transcurrir del tiempo, mis diálogos se tornaron tan interesantes y animados que a veces no lograba ponerme de acuerdo conmigo mismo y eso me ocasionaba frecuentes confusiones, al no identificar quién de los dos era el que tenía la razón. Pero lo más conspicuo del asunto era que, en oportunidades, yo concluía no sabiendo realmente cuál era mi identidad. *¿Seré yo o el otro?*, me preguntaba y al acostarme ignoraba cuál de los dos nos estábamos acostando.

*****

Recuerdo muy nítido aquel jueves de invierno, tenía ya cerca de diez minutos de retraso para ingresar a mi trabajo y mientras escudriñaba mi cabello al peinarme frente al espejo, me dije a media voz: «Se te está cayendo más el cabello, compañero». Y la imagen del espejo agregó: «Pero a ti también se te está cayendo, compañero». Nos quedamos mirando; yo, más consternado que aquel. Allí estábamos, frente a frente, un hombre idéntico a mí que me sonreía y se desplazaba de forma cómoda dentro del espejo realizando gestos y ademanes análogos a los míos. Pretendí hilar mis pensamientos. ¿Era real lo que estaba sucediendo? No podía explicármelo. ¿Era producto de mi imaginación? ¿Qué hacer? Intenté iniciar con él un diálogo, pero me era imposible, estaba muy turbado. Él continuaba sonriéndome desde el fondo del espejo mientras se alisaba su bigote blanco. Coloqué el peine sobre el lavatorio, me reacomodé la corbata, tenía que hacer o decir algo, me sentía ridículo parado frente al espejo como un esperpento. Pero era en vano, no lograba organizar mis ideas. Segundos después de continuar mirándonos, reaccioné a mi sorpresa y ambos soltamos al unísono una sonora carcajada no sé si de asombro o de bienvenida. El extraño varón quebró el silencio presentándose.

—Mi nombre es Rasec y desde hace cierto tiempo estoy observándote desde el fondo del espejo, no te he hablado antes porque tú no estabas preparado.

La sorpresa me invadía más aún con lo que me decía. ¿No estaba preparado? ¿Preparado para qué? Aumentó mi desconcierto la forma amanerada y singular que adoptó su voz al concluir la oración:

—Yo soy la acumulación de imágenes, sumándole uno, considerando a uno como la posibilidad; si esto lo elevamos a la tercera potencia de los dos tiempos, el pasado y el futuro, y le sustraemos el presente, el resultado soy yo; pero aún no creo que estés en condiciones de comprender esta ecuación, dejémoslo para más adelante, tal vez algún día lo entiendas, volveré en otro momento para continuar la plática.

Sin decir más, se introdujo en la profundidad del espejo y desapareció. Ese fue su saludo y despedida. Yo no pude balbucear ni siquiera una miserable sílaba. Repuesto de mi asombro continué preguntándome: ¿Quién es ese hombre? ¿Cómo apareció allí? ¿Se creía más listo que yo? ¿Acaso me consideraba un ignorante? «Tal vez lo entiendas más adelante», me dijo, con esa estúpida entonación de niño mimado. Eso no podía quedar así. Me propuse descifrar su extraña ecuación acerca de la acumulación de imágenes sumándole uno… ¿Pero a quién recurrir? ¿Dónde obtener información? Intentando sosegarme terminé diciéndome, tiempo al tiempo, mientras terminaba de arreglarme el cabello de forma apresurada, se me había hecho demasiado tarde.

Durante las cinco semanas siguientes no pude concentrarme en mi trabajo. El advenimiento sorpresivo de aquel ser, el intentar resolver su ecuación, lo cual me haría entender su aparición y permanencia en el espejo, y sus interesantes conversaciones, que a partir de aquella mañana se iniciaron y que se prolongaban hasta una hora o más, me estaban distrayendo demasiado y absorbiendo significativa cantidad de tiempo. Mi rutina se había modificado abruptamente, no deseaba admitirlo, pero nunca antes tuve un amigo tan buena onda, versátil e interesante como él.

*****

Transcurridos cerca de cinco meses desde su aparición, cada mañana mientras me afeitaba y acicalaba frente al espejo mantenía lo que se había constituido mi diálogo matutino con él. Esta rutina comenzó a ocasionarme dificultades en mi horario del trabajo, en especial con mi mánager, Georgina, el personaje más odiado por los integrantes de la oficina por la intolerancia que mostraba, pero con quien hasta el momento yo mantenía cordiales relaciones. Por las mañanas, las conversaciones con aquel misterioso varón se tornaban tan interesantes que me veía impedido a suspenderlas llegando en consecuencia tarde a mi oficina. Mi apartamento, y en especial mi cuarto de baño, se transformaron de pronto en mi micro mundo. Nuestros diálogos eran una secuencia de tópicos variados y fascinantes. Los agradables momentos que antes designaba para almorzar con Lucía, la guapa y codiciada secretaria de nuestra oficina por quien yo sentía desde hacía algún tiempo atracción habían perdido su encanto. Ahora, de manera apresurada bebía mi jugo y comía un ligero sándwich sin moverme de mi escritorio, me urgía retornar a casa lo antes posible para concluir la lectura de algún libro pendiente y preparar mis argumentos para enriquecer nuestras tertulias.

Siendo ya de noche cierta vez, mientras me cepillaba los dientes estando próximo a acostarme, mi amigo misterioso apareció de forma inesperada en el espejo y me felicitó por mis saludables hábitos de higiene. Desde aquella oportunidad no solo se presentaba en la mañana, sino también por la noche. Eso desde luego me solucionó en parte el problema de llegar tarde a mi trabajo, y a la vez reducir mis enfrentamientos con la antipática Georgina, pues podía ahora interrumpir nuestras conversaciones y continuarlas por la noche. Sin embargo, me ocasionó otro inconveniente. Por la mañana la cama se convertía en una flor blanca que me devoraba, quedándome dormido sin escuchar el despertador ni los gritos y silbidos que él me lanzaba desde el espejo de manera desesperada para que me despertara. Al levantarme, ingresaba al cuarto de baño aún con la etiqueta de la noche anterior pegada al cuerpo. Se convirtió en un hábito el sortear en el camino hacia la bañera los tres o cuatro libros semiabiertos dispersos por el piso y anotaciones en minúsculos papeles desprendidos de la pared regados sobre la pequeña alfombra. Mientras yo esgrimía mis piruetas de aprendiz de equilibrista intentando caminar entre ese desorden, escuchaba su risa burlona gritándome: «Llega temprano esta tarde para continuar nuestra conversación, porque hasta ahora no me has convencido con tus ingenuos argumentos de principiante».

Admito poseer relativa información acerca de diversas áreas del conocimiento, dado que me califico como un lector impenitente, pero tengo que admitir que el arcano varón del espejo dominaba más información que yo en muchas áreas; siendo la física cuántica, filosofía espírita y los acertijos matemáticos sus pasatiempos favoritos. Cuando él retornaba al fondo del espejo sin yo haber contestado alguna pregunta o haberse percatado que no había comprendido alguna de sus elucubraciones, me incomodaba y me sentía como la negra Tomasa, que cuando se va de casa, triste me pongo.

El varón del espejo era semejante a mí, pero lógicamente no era yo. Su timbre de voz era parecido al mío, de abundante cabellera blanca, largas patillas y poblado bigote sobre el labio superior; a su sonrisa agregaba unos hondos hoyuelos en ambas mejillas; de cuerpo hercúleo, solía aparecer generalmente en el espejo vistiendo una camiseta negra; y cuando arqueando las tupidas cejas pulsaba su guitarra acústica con relativa destreza, yo veía que en conjunto se convertía en mi doble. En cierta oportunidad, ganado por mi curiosidad de pirata, le pregunté:

—¿Por qué no apareces en los dos o tres espejos que hay en nuestro apartamento?

—Así como tú tienes una casa, yo tengo la mía —argumentó—, la diferencia radica en que yo de aquí no puedo salir a menos que se abra lo que los de este lado del espejo llamamos un portal y pueda yo ingresar a otro plano.

—¿Cómo se produce eso? —le pregunté, pero él no me puso interés, se dio media vuelta y se sumergió en la profundidad del espejo. Otra incógnita más que quedaba sin resolver. ¿Continuaba evitándome? ¿De qué portal me estaba hablando? ¿Acaso me consideraba un estúpido que suspendía la conversación cuando esta se tornaba más compleja? Sus silencios e inesperados alejamientos aumentaban mi incertidumbre, lo que me obligaba a buscar información en otras fuentes. Recuerdo que mientras debatíamos cierta noche acerca de El Principio de la Contradicción basada en la Tercera Ley de la Dialéctica, me hizo la siguiente demostración:

—A pesar de nuestra similar apariencia física, e incluso conductual, yo soy lo contrario de lo que tú eres; por esa razón, muchas veces no coincidimos en nuestra manera de pensar. —Se colocó frente a mí en el espejo y me propuso que levantara mi brazo derecho. Luego agregó—: ¿Lo reconoces? Tú levantas el brazo derecho y acá yo estoy levantando el brazo izquierdo. —Lo cual era cierto. Después dijo—: No sé si te habrás percatado de mi nombre, es el tuyo al revés. —Escribió en un papel Rasec y me lo mostró. Quedé sorprendido, era César, mi nombre invertido, era cierto lo que me decía. Aquella noche, me fui a dormir con dos preguntas más latiendo en mi cerebro. ¿Él era mi antítesis? O acaso ¿mi antiimagen? Esas y otras preguntas continuaron martillándome en el cerebro durante meses sin que las respuestas se dieran a conocer.

*****

A partir de la aparición de Rasec mi vida dio un vuelco rotundo. La producción en mi trabajo disminuyó y aumentaron mis errores en el procesamiento y verificación de datos. Los conflictos con la detestable Georgina aumentaron a tal extremo que ya llevaba acumulados cerca de trece memorándums de llamadas de atención, descuentos por tardanzas y por abandonar antes de tiempo la oficina. Descontinué en definitiva las esporádicas reuniones en los cafetines de la ciudad con mis dos amigos de la adolescencia, las caminatas por el Central Park fueron disminuyendo hasta quedar suprimidas de mi calendario dominical, la soledad, en definitiva, había huido por los techos del edificio, la melancolía era solo una leve tos en el fondo de mis pulmones. Mi mundo se redujo a cuatro paredes y era maravilloso. Cada vez eran más las horas que pasaba charlando con mi amigo del espejo, nuestros debates eran más arduos e interesantes; y la profundidad y vastedad del conocimiento que él mostraba no estaba algunas veces a la altura del mío. Hubo ocasiones en que después de la salida de mi oficina me veía impulsado a acudir a la biblioteca central o ingresar a la librería Barnes & Noble para informarme de temas hasta entonces desconocidos para mí. Es así como me introduje en los principios que regían La teoría de Cuerdas, los conceptos del Alabeo del Tiempo, y logré entender al fin Las Codificaciones de la Filosofía Espírita de Allan Kardec. Me propuse demostrarle al tal Rasec de una vez por todas que la ignorancia y yo no saboreábamos el mismo beso.

Tenía pendiente una reunión importante en mi oficina una mañana y me duchaba de manera apresurada a fin de llegar puntual, cuando de pronto escuché una voz de mujer desconocida que discutía de forma airada con Rasec. Presuroso salí de la ducha y en efecto, él hablaba con una joven dentro del espejo, la cual envolvía su cuerpo con una túnica negra semitransparente. Aparentaba entre treinta y tres a treinta y cinco años, piel clara y un tatuaje en forma de mariposa con las iniciales J.P. dentro de cada una de las alas que adornaban su antebrazo izquierdo. Cubría su cabello un pañuelo de seda blanco que armonizaba con sus sandalias del mismo color. Caminaba de izquierda a derecha de forma airada levantando y bajando la voz al discutir. En ese vaivén, la delgada túnica se pegaba a su cuerpo insinuando sus senos redondos y firmes, en tanto sus nalgas mantenían un ritmo cadencioso al caminar. Desde que la vi, me cautivó, tenía algo en especial que no podía precisar. Me acerqué cubriéndome con la toalla y la escudriñé. Resaltaban en su rostro sus ojos marrones brillantes que daban la impresión de haber llorado bajo la lluvia. Su gesto de enojo me hacía verla más bella. ¿Que tenía esa mujer que me atraía? La discusión se centraba en que él reclamaba que ese era su espejo, y por lo tanto ella no tenía derecho de permanecer allí. La joven de manera airada argumentaba que había permanecido en ese espejo mucho antes que él y levantando la voz dijo:

—Para que deslindes tu aparente confusión usa la fórmula Del Tiempo Acoplado, es decir: Acumulación de los tres espacios, sumándole seis planos al potencial siete de la relatividad espacial.

Rasec bajó la mirada como si pensara; luego de algunos segundos que me parecieron interminables realizó un movimiento leve de cabeza, balbuceando: «Tienes razón». Comprendí que ella tenía ganada la batalla frente a Rasec, era su espejo en definitiva. Ella estaba demostrando que dominaba la física cuántica más que él. Desde aquel momento la consideré una persona especial y ello aumentó mi atracción. La extraña joven nos refirió que nos había estado espiando desde el tercer plano y se había visto obligada a hacer acto de presencia para intervenir en nuestras conversaciones pues a veces estas se volvían infantiles y hasta estúpidas y en consecuencia sentía lástima por nosotros. Los dos la miramos y soltamos una explosiva carcajada. Segundos después, la joven se unió a nosotros, su risa semejaba los chillidos de un gato estrangulado a la medianoche. Descubría en su risa otro de los elementos que hizo aumentar mi fascinación con aquella misteriosa mujer. Desde aquella ocasión, Rasec, Alexandra, que así dijo llamarse la joven, y yo, compartíamos las conversaciones por la mañana y por la noche. Durante esos once meses transcurridos, nuestra amistad fue creciendo y nuestras conversaciones adquirieron mayor profundidad y dinamismo y eso se lo debíamos en parte a Alexandra, quien además domina la filosofía hermética e historia del arte.

Un miércoles rumbo a mi oficina leía yo absorto la novela "El último sacerdote en la tierra" de la joven escritora Yirka Vasot, el tren expreso se detuvo en el paradero de la Quinta Avenida, la puerta del vagón se abrió y una caricia caliente se coló del exterior regalándonos su cariño hipócrita, se cerró luego como quien pestañea ante el viento. Anónimos viajeros ingresaron. Emprendían su aventura sobre rieles debajo de un Manhattan insomne, recorriendo silenciosos el laberinto de sus secretos. Continué absorto mi lectura cual miel que persigue su mosca. Pocos asientos quedaban desocupados, de pronto una figura familiar se deslizó a mi costado y tomó asiento; sin levantar la vista presentí que era Rasec. *¿Qué hace él fuera del espejo? ¿Será acaso que se ha activado el mecanismo de los "Portales" que cierta vez* *mencionó?,* me pregunté. Sonriente lo saludé, no me contestó, pensé que no me había escuchado a causa del tren ya puesto en marcha; insistí, levantando la voz. Él permanecía imperturbable; cambió luego de asiento, trasladándose al fondo del vagón. Luego de un corto trayecto, bajó en el paradero de la calle treinta y tres y Lexington; antes de hacerlo me miró de soslayo, semejando un oficial de la FBI ocultando su rostro detrás del periódico. Se perdió entre la gente, dejando tras de sí una puerta que se cerraba y mi incertidumbre. Me sentí molesto por su descortesía.

Mi jornada de trabajo de ese día la pasé con un desagradable sabor de enojo en la boca. Deseaba retornar cuanto antes; sentía la misma sensación que me ocurría cuando esperaba algo, que me parecía que el tiempo tardara el doble en transcurrir. Al regresar al apartamento allí estaba esperándome impoluto. Recriminé su descortesía, su respuesta me sorprendió, me dijo que no me había respondido porque la gente nos podría tildar de locos al hablar solos. Alexandra emitió su chillona carcajada desde el fondo del espejo, agregando que él tenía razón, ya que ella hubiera hecho lo mismo. Mi malestar, que había durado todo el día, desapareció al instante al escuchar su risa.

*****

Ha transcurrido más de un año y medio desde que Rasec y Alexandra ingresaron a mi vida y desde entonces la mayoría de mis actividades se centran en la relación que tengo con ambos. Mientras esperan mi retorno del trabajo suelen diseñar una serie de acertijos para solucionarlos conjuntamente a mi llegada, donde la ventaja para la solución de estos la tiene él, pues, según lo mencionó cierta vez, ese era su pasatiempo desde hacía algunos espejos en otros planos. Lo que es yo, desde hace más de un año decidí reducir mi jornada de trabajo a tres días a la semana y eso me trae muchas ventajas, la mayor de ellas es que ahora tengo más tiempo para alternar con mis dos amigos del espejo. Me he percatado que en los últimos meses la atracción que siento hacia Alexandra es más intensa. En silencio me deleito observando su magistral cabello desordenado, sus senos que vagan como dos lunas libres bajo el cielo negro de su túnica, sus nalgas redondas y firmes cuando me da la espalda y camina creando una sinfonía *a capella* e ingresa a la profundidad del espejo. Admiro el vasto conocimiento que tiene de la filosofía hermética, ante lo cual me siento un ingenuo *boy scout*. Cada vez que Alexandra aparece en el espejo la siento como una ventana que se abre a un sueño.

*****

Estaba concluyendo de hacer el nudo a mi corbata cierta mañana, previo a mi viaje a la oficina, cuando Rasec irrumpió riendo entusiasmado e informándome que lo habían invitado a otro espejo y que se iba a ausentar por breve tiempo. Al preguntarle ¿cuánto? me contestó que no podía precisarlo, pues las leyes físicas de ese lado del espejo se comportaban diferentes a las de mi lado. Él trató de explicármelo utilizando el "Principio de la Superposición", y comenzó diciéndome que un elemento que está situado en un espacio cerrado... de pronto calló, me miró y dijo que era un poco complicada la explicación y que lo dejaba pendiente para su retorno y se sumergió presuroso en el fondo del espejo.

Dos días habían transcurrido desde su partida y hallé a Alexandra sentada en su habitual silla crema, concentrada, intentando solucionar el Acertijo de lo Eterno que no habíamos podido todavía resolver y era de la siguiente manera:

*"Son dos hermanas, una de las cuales engendra
a la otra, y esta a su vez engendra a la primera.
¿Cuál es el nombre de la primera hermana y cuál el de la
segunda?, teniendo en cuenta que estas hermanas con el
transcurrir del tiempo se han convertido en inmortales".*

Abstraída, realizaba las ecuaciones y completaba la simbología para descifrarlo, sin percatarse de que yo la observaba imperturbable. Esa tarde me pareció más bella que nunca. Con su túnica negra semejaba una novia en sombra, sus ojos marrones y sus ojeras una cueva donde había pernoctado el sueño. Ella reparó en mi mirada insistente, disimuló en un inicio mirando al vacío; después de breves momentos de haber respirado mi silencio, me preguntó si me ocurría algo. «Corres el riesgo de que te ame», le dije sonriente. Me miró sorprendida levantando ambas cejas, se puso de pie en su habitual forma sensual, y, sin pronunciar palabra, giró sobre sus sandalias y se alejó sin responder a mis llamados, que en segundos se convirtieron en gritos. El sonido de sus pasos al caminar se perdía indetenible. Me asomé y me quedé con el rostro plano, aplastado sobre el cristal de aquella fría ventana de niebla. Al lado izquierdo de su silla quedó el cuaderno abierto, unas ecuaciones indescifrables y el acertijo sin resolver. Desde aquella oportunidad nunca más la he vuelto a ver a pesar de que la llamé innumerables veces. Haciendo acopio a mis facultades psíquicas me programé para comunicarme con ella por las noches mientras dormía… fue en vano, no la volví a ver, literalmente, ni en mis sueños.

*****

Hace cerca de cinco meses renuncié de manera irrevocable a mi trabajo. Las últimas semanas no lo soportaba, llegué a detestarlo y mandé al diablo a la odiosa Georgina. Permanezco día tras día en mi apartamento. Siento que el tiempo no transcurre. Estoy enredado entre estas horas sin sentido, cual una telaraña. Múltiples veces me he descubierto hablando solo. Deambulo por las habitaciones tropezándome con botellas de cerveza vacías, sombras quebradas, objetos ahora inservibles, puertas caídas, ventanas sin cortinas y relojes detenidos alguna tarde de cualquier día. Intuyo que afuera el sol brilla como una navaja resplandeciente. A veces escucho a algún impertinente llamar a mi puerta, no abro. Ignoro lo que sucede en la ciudad, en los pasillos del edificio escucho ruidos y murmullos de voces que no me importan. Aquí adentro la soledad se ha filtrado como en un inicio y ha tomado por asalto mi apartamento. Me siento despojado de todo. Los muebles, mis libros, veo las paredes cubiertas por el turbio tufo de la melancolía. Aún traigo puesta la ropa con que fui la última vez a la oficina a renunciar, siento que mi cuerpo huele a carne quemada.

*****

Es de madrugada de algún día de la semana. Cuánto tiempo habré estado sentado frente a este maldito espejo. Recuerdos chorrean desde el techo, emergen por las maderas del piso como un dolor que me sujeta desde los tobillos. Soy la letra que no encaja en este crucigrama. El agotamiento embarra mi cuerpo. Siento el tronar de mis huesos al caminar. El aire ingresa por mi nariz, pero no fluye hacia mis pulmones, lo siento coagulado en la garganta. Escarbo con mi mirada en el fondo del espejo intentando descubrir alguna figura familiar, algún indicio de Alexandra... mi Alexandra... la cerveza me enturbia la visión. La he llamado por enésima vez sin respuesta. Su silencio me pisotea. Lanzo la última botella de cerveza vacía a la bañera, choca con otras, el ruido explota en mi cerebro, me estremece. Me levanto de la silla, me crujen las rodillas, cañas que se quiebran. ¿Quién es el que se levanta de la silla? De nuevo esta confusión que me tiene atrapado. No sé si el que se levanta es este perro viejo que aún sigue ladrando en la noche por la ausencia de Alexandra, o es el otro desdichado que ya ni me conversa al cual lo he sorprendido burlándose de mis ladridos. ¿Soy yo o tú? ¿Quién es el que se queda? ¿Quién el que se levanta con dirección a la nada? Escarbo de nuevo en el fondo del espejo por última vez, pero aquella fría lámina de niebla permanece inmóvil, ni una puta luz en su profundidad, ni una señal. Estoy apresado en este apartamento, en este pozo ciego de espera interminable. El vacío plano del espejo frente a mí me seduce, su color plateado me tiene secuestrado, no puedo despegar los ojos de su profundidad. Maldita sea. ¿Soy yo o el otro el que espera a Alexandra? Camino, pateo el almanaque en el suelo, se esparcen recortes de recuerdos, besos mutilados. Mi corazón transformado en húmeda caja de cartón. Estoy prisionero en este pozo ciego de espera interminable. ¿Hasta dónde llegará mi destierro? ¿Cuál es la respuesta a mi acertijo?

En rescate de la memoria

Martín Balarezo García

Jerry Gomez Shor Jr.

Fernando Salmerón

Ulises San Juan

Rocío Uchofen

Julio Jesús Zelaya Simbrón

 **Martín Balarezo García** nació en Lima, Perú, y reside en Florida. Es escritor. Dentro de su bibliografía se encuentran las siguientes obras: *Reflexiones trascendentales* (ensayos, CONCYTEC, 1989), *Sueños de un ilegal* (novela, 1994), *Una ventana hacia el gran imperio* (cuento, 1998), *El sendero de las guerrillas* (novela, 2013), *El racista* (novela corta, 2013), *Relatos sin fronteras de la A a la Z* (relatos, 2015), *La Princesita Dorada y el chocolate más rico del mundo* (cuento infantil, 2016), *Mortal Genesis* (guion de cine, 2017), *¡Lluvia de orgasmos! Manual del caballero moderno, romántico y enamorado* (consejos, 2018).

Se le puede contactar en: martinbalarezogarcia@live.com

La mente de Ella
Martín Balarezo García

Era un tibio día de primavera, y la feliz rutina de Ella la tenía colgada del microbús que la estaba llevando a su destino laboral de los días de semana. El laboratorio farmacéutico la esperaba como cada mañana, con las negruzcas rejas de seguridad a punto de abrirse para ella, con la sonrisa contagiosa y eterna del guardia de seguridad que podía esconder las armas que llevaba, pero no la refulgencia de su blanquísima dentadura, con el marcador de tarjetas que tras un sonido sordo y clásico empezaría a llenar su pago quincenal, con el ir y venir del bamboleo de las faldas largas de sus compañeras que lucían su feminismo más que su feminidad, y con la vejez de los ternos confeccionados a granel de sus compañeros que andaban tan serios como los dictadores de turno que todo lo controlaban.

Algo pasó aquella mañana tibia, pero no soleada; primaveral, pero tristemente neblinosa; Ella no bajó donde tenía que bajar, y su mente ida empezó un viaje misterioso y tenebroso del cual nunca regresaría. El chofer la conocía, y la reconocía muchas de sus mañanas cuerdas, pero el saludo afectuoso acostumbrado cedió ante la extrañeza de un comportamiento ajeno a la diaria viajante. «Señorita, ¿se siente bien?», le preguntó al llegar al último paradero, pero solamente le contestó una mirada perdida en un firmamento nuevo, pero incomprensible. Ella no se sentía mal, tampoco bien, simplemente no sentía. Su mente se nubló más que el cielo nublado a punto de lloviznar, perdió su nombre en la inconsciencia de su cerebro desactivado, sus neuronas dejaron de ser amigas, pero tampoco batallaban entre sí, parecía que habían perdido una guerra que nadie había declarado.

Ella despertó en un cuarto de hospital y su llanto ahogado era más copioso que la llovizna que ocultaba la primavera, y la pobre ni siquiera sabía qué le producía semejante tristeza desconocida. Solamente sentía la necesidad de llorar, su única necesidad, sin reconocerse a sí misma, sin recordar su nombre, sin saber qué hacía entre paredes níveas y sábanas blancas, entre gente angelical, pero no por sentirse en el Cielo, sino porque todos estaban disfrazados con su blancura uniformada. Y, de pronto, un silencio sepulcral…, no, no se le agotaron las lágrimas que se convertirían en sus mejores amigas, su mente agotó sus últimas fuerzas y se sumió en un abismo profundo al cual no sabía que había sucumbido.

Los días transcurrieron vacíos, pero agitados; el sol brillaba como nunca y sus rayos vivaces se colaban entre las ventanas entreabiertas y de cortinas corridas, pero el cuarto de Ella seguía nublado, como si el cielo se hubiera confabulado para oscurecerle el alma. Los resultados de las pruebas, los exámenes y evaluaciones no eran todavía concluyentes. «Cansancio mental», los médicos resumieron el diagnóstico. Y Ella se recuperó del cansancio mental, despertó de su sueño profundo y de la pesadilla no soñada, recordó su nombre, recobró sus sentidos y la memoria, pero parte de ella desapareció para siempre, saltó en el tiempo de su colgada en el microbús a esa cama de hospital, nunca lo entendió, como nunca entendería por qué el mundo se pondría en su contra para siempre.

«Esta niña ha nacido enferma en cuerpo y alma», intuyó el ginecólogo-obstetra que la trajo al mundo. No emitió sonido alguno, y cuando su flácida boquita trató de aspirar el aire, en realidad le brotó un bostezo que clamaba compasión; ni una lágrima, ni un grito, ni siquiera un murmullo. Su madre estaba tan impávida como la pequeña, como si no hubiera dado a luz, sino, por el contrario, como si hubiera parido oscuridad, la oscuridad que opacaría a su primogénita, al único vástago que se atrevería a parir, oscuridad que a ella misma la había acompañado casi toda su vida sin que le diagnosticaran algún trastorno mental, sin recibir tratamiento alguno, sin tener la capacidad económica para hacerlo, sin contar con el apoyo de conocidos y menos de desconocidos. Ser empleada del hogar en el seno de una familia acomodada no fue su mejor aliada en su lucha contra sí misma; fue seducida…, no, fue casi violada porque una mente enferma no se deja seducir, es capaz de dejarse llevar por una violación disimulada. Al quedar embarazada, su ofuscamiento tocó las puertas del Cielo…, no, las del infierno. Trató de esconder lo que no se puede esconder, fajó su cuerpo hasta que la pequeña que llevaba dentro se rebeló a morir antes de nacer, todavía no se sentía abandonada, y de un puntapié poderoso desfajó a su madre y por poco las lleva a ambas fuera de este mundo que no le abría sus puertas. Un alma bondadosa, que sí había caído del Cielo, salvó la vida de ambas, pero sus mentes parecían estar condenadas a la herencia inevitable, a los genes enfermos e inmutables. Y el alma bondadosa supo lo que todos sabían, que esa niña estaría perdida en las manos de su progenitora y la acogió como si fuera suya, se prometió cuidarla hasta el final de sus días, a protegerla de un mundo que tal vez no comprendería, a darle una oportunidad para que explore lo que su cuerpito menudo quería explorar, a prodigarle no solamente cuidados y cariño, sino la esperanza de que la madre naturaleza no se ensañó con ella, que no le regaló lo malo que llevaba su madre en las entrañas, sino lo bueno que había en ella.

Y la niña enferma en cuerpo y alma se recuperó, creció con salud y esperanzas, sin muestras de estar mentalmente condenada, sin rezagos de una herencia que se suponía inevitable. Pero su fortaleza aparente estaba siendo socavada de manera silenciosa e invisible. Su coraza de papel estaba cediendo ante las presiones de la vida cotidiana, de las amigas sanas, de los enamorados poco frecuentes, de las tareas escolares y las fiestas divertidas, ante la falta de horas de sueño reparador, ante los hermanos juguetones que sacarían de quicio hasta al más cuerdo entre los cuerdos, ante las mascotas que ladraban o aullaban su felicidad sin saber que privaban la tranquilidad de esa niña que ya no lo era. Y cuando la niña que ya no lo era se convirtió en toda una señorita ambiciosa y emprendedora, las presiones se fueron multiplicando como estrellas de una nueva galaxia. Permitió ser presionada y nadie se imaginó que estaba siendo bombardeada; hasta el alma bondadosa del cielo que la acogió supuso que el fantasma de su pasado y de su futuro incierto había sido espantado. Terminó la secundaria con honores, y luego estudió una carrera a la velocidad de su entusiasmo, de su vocación, de su fortaleza aparente, y logró culminarla también con honores, y siguió avanzando sin tregua por el sendero de sus sueños, sin saber que estaba cerca de un foso profundo camuflado por la ignorancia y el afán de alcanzar su realización. Se esmeró en alimentar su cuerpo con alimentos sanos y actividades deportivas, pero su mente necesitaba ser sobrealimentada, comprendida, estudiada, analizada, monitoreada…, y nunca lo fue; hasta que la aciaga mañana primaveral se aprovechó de la debilidad que nadie veía, que nadie intuía, que todos habían descuidado, incluida ella misma.

Cuando llegó a casa del hospital ya no era la misma y nunca lo sería. Todos lo notaron, desde los seres humanos, que la abrazaban como quien abraza a alguien que ha perdido algo y que nunca más podría recuperar, hasta las queridas mascotas que lo intuyeron también y la lamieron como si quisieran darle el apoyo que necesitaba o necesitaría. Ella en realidad no se había recuperado de ese cansancio mental que todavía no era comprensible; se refugió como cuando estuvo en el vientre de su madre, pero ahora entre las sábanas y frazadas de su nuevo lugar favorito, huyendo de la compañía, de los alimentos, del sol de cada día, de la música que antes adoraba, de la voluntad, de su entusiasmo, de su vocación, de su afán por vivir, de sus deseos de lanzar puntapiés que la ayudaran a sobrevivir, de los días y las noches que para ella eran lo mismo, de los días lunes y de los fines de semana que ya no tenían sentido, de las fiestas y de los pretendientes que ya no le atraían, de las amigas y los familiares que ya no necesitaba en el lecho de su depresión, donde las lágrimas más amargas que saladas habían reemplazado al sudor de aquellas noches de verano.

Pero esta vez sí tenía los cuidados que necesitaba, la atención que su mente requería, la de los mejores siquiatras, de los sicólogos amigos, de los medicamentos que la despabilaran de su perturbación, y no porque sobrara el dinero, sino porque existen recursos que muchas veces son desconocidos, porque siempre hay puertas que se pueden tocar, porque existen los amigos que están dispuestos a dar no una sino ambas manos, porque de pronto surgen los familiares no solamente para hacer visitas de cortesía, sino para brindar su apoyo moral y económico, porque se forman cadenas que rebasan las fronteras que imponen los que quieren un mundo separado y no unido, porque ante la adversidad hay algo más poderoso que las diferencias políticas, religiosas, económicas, raciales, clasistas, separatistas, porque ante un alma herida la compasión no tiene ni limitaciones ni medida, porque donde hay un alma herida hay corazones tristes, razones perdidas, adultos preocupados, niños compungidos, ancianos acomedidos, y todos merecemos del apoyo, todos tenemos el derecho de buscarlo, de encontrarlo, de usarlo. Aun así, el cansancio mental puede ser vencido, pero más difícil de vencer es el fondo de un diagnóstico ensombrecido por la realidad. Y los médicos concluyeron lo que todos temían: lo que Ella tuvo no fue un simple cansancio mental, había sido el despertar de algo que su mente llevaba desde el momento de ser concebida, la esquizofrenia paranoide de su progenitora había rebasado el cordón umbilical que la alimentó porque para entonces nada se podía hacer para contrarrestar el poder de la genética, quedando esa herencia afianzada para siempre en su futuro incierto.

Cuando llegó de la inconsciencia de su purgatorio, es decir de haber sido atendida en el hospital, sus hermanos no comprendieron lo que había sucedido con Ella, pero notaron que tenía una personalidad distinta, ya no era la hermana que disfrutaba de la vida, de un día alegre, de un pretendiente enamorado, de un viaje en bicicleta, de un día de playa, de corretear con ellos hasta el cansancio; seguía siendo su hermana por fuera pero ya no por dentro, su poderosa mente desvariada hirió lo más profundo que había en ella. Su mal aliento delataba la debilidad mental que impedía cuidar su higiene oral y que la mantenía pavorosamente alejada de los dentistas, y muy pronto su halitosis haría poco soportable la cercanía hasta de quienes más la querían. Muchas veces y súbitamente, su pasividad gobernada por la melancolía era sacudida por un sismo mental que la convertía en un ser extraviado, fuera de este mundo, violento, hiriente, agresivo, dañino, y su ira repentina era capaz de lanzar comida por los aires y bebidas por los suelos, de destrozar zapatos nuevos, muñecas antiguas, platos de porcelana, frascos irrompibles, frágiles espejos, ventanas a prueba de balas, cortinas nuevas y cuanto objeto estuviera al alcance de su mano, pero el cariño de su madre adoptiva, el alma bondadosa que la salvó de pequeña, siempre se interponía entre su ira y los destrozos, hasta que las lágrimas de Ella afloraban ante la dulzura que recibía, y su enojo desbocado desaparecía tan pronto como había aparecido.

El tiempo transcurrió y la tolerancia a los exabruptos de Ella fue moldeando su rutina familiar. Pero esa tolerancia no era compartida por la gente del pequeño mundo que los rodeaba, y el apoyo que recibieron en un principio no dio paso a la indiferencia, pero sí al alejamiento. La presencia de Ella se fue volviendo intolerable y cada vez resultaba más difícil complacerla, y no solamente la complacencia de sus caprichos, sino la de sus ideas cada vez más idas. Las medicinas hacían lo que podían y, cuando no podían, Ella tenía que ser internada y casi siempre en contra de su voluntad o a regañadientes porque, como si hubiera sido presa de un alcoholismo mental, ella negaba su enfermedad y el cambio que la había transformado. Los vínculos familiares y amistosos eran bastante reducidos en aquella gran ciudad y, más pronto de lo que hubieran querido, muchos de sus amigos y familiares se evaporaron como por arte de magia, y como por arte de magia algunos cuantos se aparecían en visitas más cortas que las escasas estrellas fugaces que osaban aparecer sobre los cielos casi siempre encapotados.

La tristeza era el pan de cada visita cuando internaban a Ella. Con sus ojos inyectados por las medicinas que le daban, con su mirada perdida e incapaz de enfocar la de nadie, con su cuerpo siempre laxado y sus fuerzas más idas que su propia mente bañada de fármacos, suplicaba, incapaz de poder perlar de lágrimas sus mejillas, que la sacaran de aquel infierno donde vivía temporalmente; con su voz entrecortada y balbuciente murmuraba a gritos que no le dieran las medicinas que no la dejaban ser ella misma. Y cuando iba su madre adoptiva, ella era la que bañaba en lágrimas su existencia y la de todos los demás.

Varias veces Ella se las ingenió para escabullirse de su encierro forzado, buscando refugio en alguna antigua amiga de colegio —donde surgieron sus mejores amigas—; y cuando se perdían las esperanzas de ubicarla en las cercanías, entre la incertidumbre, el espanto y la comprensión, sus amigas de alguna manera hallaban a su familia, y con pena era devuelta a su encierro entre camisas de fuerza dignas de una película de horror. Al cabo de tratamientos tan largos y costosos que parecían carreras universitarias o doctorados, Ella recuperaba su libertad casi siempre en la primavera o el verano, cuando el sol bañaba su cuerpo de la salud que pedía y reconfortaba su mente con el calor de sus rayos sabios. Pero, a diferencia de sus seres queridos más cercanos o de ella misma, su libertad espeluznaba a cuanta persona conocía porque más de una vez se aparecía donde no era esperada, o donde había dejado de ser bienvenida. Aunque a veces perdida y otras veces llena de ira, la mente de Ella era noble, tan noble como ese corazón que nunca dejó de ser tierno y bondadoso, ella sentía una genuina felicidad al visitar a sus conocidos y estaba segura de ser correspondida. Pocos se atrevieron a buscarla, pocos disfrutaron al acompañarla, pero el amor incondicional de esas escasas amistades la alimentaba mejor que la comida y la renovaba con más poder que las medicinas que aceptaba tomar con tal de no ser sepultada en vida.

El destino…, no, las circunstancias y las propias decisiones de sus hermanos varones los llevaron a tocar nuevos horizontes fuera de su patria querida, de sus amigos y de su familia, de todo lo que amaban por sobre todas las cosas. Pero Ella quedó a merced de sus actos y de unos padres que ya no podrían cuidarla como antaño lo hacían. Y sin el poder protector de sus hermanos, Ella asumió las riendas de su presente y de su futuro. Desde su primer encuentro con la esquizofrenia, Ella ya no fue capaz de gobernarse a sí misma. En poco tiempo retrocedió como si hubiera regresado a la primaria de todos sus males, y sus males pronto alejaron incluso a quienes estaban dispuestos a sacrificar mucho de sí para apoyarla y cuidarla, como si hubieran sido espantados por el demonio de la intolerancia, o como si estuvieran protegiendo sus territorios de un ataque que podría afectar su propia existencia.

Y en medio de ese retroceso fue capaz de amar y ser amada…, no, fue capaz de compartir su vida y ser correspondida. Y cuando parecía que un milagro celestial había tocado su mente enferma, salió embarazada, y con su embarazo afloraron recuerdos incomprensibles, pero suficientemente poderosos para socavar todo lo que había logrado. Dejó de ser la aparente nueva mujer segura para ser la mujer más insegura del planeta, de ser la futura madre ansiosa de cuidar al hijo que vendría para convertirse en la fuente de sus propias dudas sobre qué hacer con esa criatura, de ser la compañera cariñosa e ideal para transformarse en un martirio constante para el hombre que le abrió su corazón desconociendo su pasado tortuoso, aunque debió percatarse de su desequilibrio mental en el transcurso de su primera conversación. «Por qué no me lo dijeron antes», reclamaba con justa razón, sin quitar su mirada decepcionada de la mirada equivocada de los padres adoptivos de Ella, recordando las noches de sufrimiento al lado de la mujer que en algún momento había amado y por la que se había ilusionado, sintiendo todavía entre sus manos la tibieza de las bolsas de orina que su mujer ida acumulaba para no tener que ir al baño en la oscuridad, arrepintiéndose por haber cambiado sueños hermosos en pesadillas tenebrosas.

Al nacer la pequeña, su destino parecía estar escrito con la misma tinta de la desventura y los malos presagios, tampoco lloró, gimió como una gatita recién nacida; tampoco gritó, bostezó con la misma pereza y anergia de Ella al nacer. «Esta niña ha nacido enferma en cuerpo y alma», afirmó el ginecólogo-obstetra al sorprenderse por la mustia bebé. Y no fue capaz de cuidarla; había amor en su corazón de madre, pero no capacidad de tener una responsabilidad tan abrumadora. Y su amor de madre tuvo que ceder para abandonar lo que más amaba en su vida; se separó de su pareja, se desligó de su hijita, nunca más los volvió a ver, como tampoco pudieron hacerlo ni sus padres adoptivos ni sus hermanos, simplemente desaparecieron para siempre de su decepción. Desde entonces Ella se aferró a su madre adoptiva, a su ángel de la guarda, y en menor medida al padre generoso que le había dado su apellido y a sus hermanos que de todas maneras la querían.

La decisión de que la familia se reúna y juntos seguir enfrentando las penas y las dificultades, la enfermedad de Ella y la vejez de los padres fue tomada tan pronto notaron que el presente de Ella y el de sus padres adoptivos estaba siendo afectado por la carencia de su cordura. Sus hermanos tenían sus propias familias y estaban dispuestos a protegerlas sobre todas las cosas, pero, contra viento y marea, sus padres y su hermana ocupaban un gran rincón en sus corazones y merecían cuanto pudieran ofrecerles para que gozaran de esa estabilidad que les brindaron cuando la necesitaron.

Pero las reglas cambiaron, no las de ellos, sino las del país que los acogía, y esas nuevas reglas alimentaron la intransigencia de Ella; rechazó ser atendida, negó para siempre la necesidad de tomar medicamentos, y su inflexibilidad fue tan tajante como la seguridad y la cordura que parecía haber recobrado.

Su esquizofrenia paranoide tomó un nuevo rumbo. No se sentía enferma, negaba esa posibilidad sacando las uñas de su terquedad inquebrantable. Negó con pasmosa seguridad y determinación cualquier tipo de ayuda que tuviera que ver con la claridad de su mente, porque para ella no existía mente más fuerte y saludable que la suya. La ira y la violencia se esfumaron de sus actos como si nunca las hubiera padecido. En esa aparente madurez mental habían ·surgido con fuerza ciertos males de antaño y algunos nuevos, pero también quedaron enterrados otros, como si los medicamentos o una fuerza superior se hubieran encargado de darles sepultura eterna. Entre los nuevos, Ella se sentía asediada por un delirio de persecución que se notaba en sus gestos, en sus actos y en sus pupilas dilatadas. En su camino se cruzaba, a cada instante, gente que la observaba, que hablaba mal de ella, que deseaba hacerle daño, a la que quería enfrentar, pero no batallando, sino huyendo. Su aversión selectiva pronto se hizo evidente, y los inmigrantes y la gente de color se convirtieron en su blanco preferido y constante. No cesaba de lanzar diatribas silenciosas sobre ellos, o de hacer comentarios absurdos que la podrían llevar a ser encerrada entre camisas de fuerza y cuartos aislados. Entonces vivía con sus padres adoptivos y ellos le tenían una paciencia infinita, y seguramente después de dejar este mundo serían beatificados y luego santificados por ese sacrificio impresionante e ilimitado.

Poco a poco Ella se fue deteriorando, y no había poder de convencimiento en la Tierra para evitar que eso sucediera. Fue perdiendo sus dientes uno por uno, en parejas o en tríos; su obesidad fue moldeando su cuerpo con el poder de cuanto se pudiera llevar a la boca; su ropa fue adquiriendo la gama de formas y colores de una persona que vive en la calle y se pone lo que encuentra en los basureros; adquirió el pasatiempo de almacenar de todo sin que nada sirviera, aunque para ella todo cuanto encontrara era útil o lo sería algún día. No era bienvenida en ninguna parte, y su apariencia podía espantar hasta a los espantapájaros. Curiosamente, descuidaba su fachada humana, pero trataba de mantener su higiene personal incluso dentro de sus propias limitaciones. La insistencia para ayudarla era tomada con indiferencia por ella o con una negativa que podía dejar de ser tenue rápidamente. Y en el país de las libertades Ella era libre mientras la violencia no se convirtiera en una de sus aliadas de campaña.

Una mañana extraña Ella amaneció con una noticia aún más rara. «Estoy embarazada», afirmó cuando ya debería estar con la menopausia, ansiosa de llamar la atención de su familia y de cuanta persona estuviera dispuesta a escucharla. Nadie le creyó al principio, pero ella misma encontró la manera de convencer a todos, y después de eso se sucedieron visitas a los centros médicos que supuestamente controlaban aquel embarazo de una mujer menopáusica. Y para colmo de las coincidencias, una tarde vestida de tragedia Ella quedó abatida en medio de una hemorragia real que estuvo a punto de arrancarla abruptamente de su existencia terrenal. «No la podemos llevar en contra de su voluntad», aseguró uno de los paramédicos ante su rotunda negativa. «Si ella no lo autoriza, tendremos que esperar a que pierda el conocimiento», afirmó con el poder de la libertad, de las leyes y de las demandas judiciales. Y cuando todo parecía estar perdido, Ella dio su brazo a torcer. «No se trataba de un aborto», dijo el médico ante las inquietudes. «Nunca estuvo embarazada», hizo que todos pusieran los pies sobre la Tierra. Bajo las mismas leyes de libertad, Ella fue dada de alta; la falta de violencia en su mente ida era suficiente para permitir que su alma perdida siguiera vagando en el mundo de su soledad. Fue salvada de su viaje al más allá, pero estaba perdiéndolo todo en el más acá.

Las posibilidades de que viviera con sus hermanos o con sus padres adoptivos se alejaron en forma directamente proporcional al grado de su influencia negativa que podía afectar sus hogares y los últimos años de sus padres. No podían dejar que eso sucediera, pero tampoco la dejarían a la deriva en su planeta de contradicciones, persecuciones implacables, dudas, mentiras y decisiones desacertadas. Con el paso de los días sus aprehensiones también se desarrollaban; por todos lados alucinaba gente conocida o amistades que no veía en decenios, y no faltaban los sonidos guturales, los murmullos y hasta los sonidos indescriptibles que atormentaban las profundidades de su sistema auditivo. Y las probabilidades de que regresara a su país eran aún más lejanas porque sus hermanos tampoco iban a dejar que se zambullera en una piscina sin agua o en un mar plagado de tiburones u olas bravías, ni que deambulara en un inmenso parque lleno de gente amable que buscaba la paz, la tranquilidad y el esparcimiento, y no una carga que no iban a soportar a ningún precio.

La fe, las circunstancias, las coincidencias y la crisis económica que afectó a medio mundo, incluyendo a Ella y su familia, la llevaron a aferrarse a una iglesia que le abrió las puertas a su demencia que no podía ser curada en contra de su voluntad, que le dio más que alojamiento, que también le abrió las ventanas de una paz interior que buscaba desde hacía mucho. Mientras estuvo bajo el techo de la iglesia todo anduvo viento en popa, incluso la hospedaron en una de las propiedades que formaban parte de su círculo de apoyo comunitario. La falta de alternativas motivó a que aceptara el nuevo hogar donde viviría por un tiempo indeterminado, pero tan rápidamente como tomó posesión del amplio dormitorio que le asignaron se desilusionó del desfile de huéspedes que circulaban en aquella casa bien ubicada, porque rápidamente "intuyó" que todos se habían confabulado para estar en su contra, que todos ya la odiaban sin siquiera haberla conocido, que todos murmuraban a sus espaldas acerca de ella, que todos estaban dispuestos a robarse sus bienes preciados que no valían ni un centavo. Y como todo aquello era evidente para ella, cada vez que salía a respirar el aire fresco cargaba con infinidad de paquetes como si se tratara de una vendedora ambulante dispuesta a ofrecer sus tesoros al mejor postor. Pero la necesidad de ser productiva y su inteligencia, que no había menguado con el correr de sus desvaríos, le prendieron el foquito de su cordura cada vez más pequeñita, y le sugirieron que ofreciera unas caricaturas que era capaz de dibujar en trazos simples, rápidos, estilizados y, en sus mejores momentos, hasta artísticos. Había descubierto una fuente de ingresos con la que ganaría más que las limosnas que nunca se atrevió a pedir.

Ella siguió visitando a su alma bondadosa, a su ángel de la guarda, hasta que una neumonía fulminante se la·llevó al mismo lugar de donde había venido. No aceptó su partida como un designio divino, sino como consecuencia de una acción criminal de quienes la cuidaron en sus últimos días, y el escándalo que armó fue tan mayúsculo como el nuevo cuento que había creado en su mente ávida de tener la razón. Las autoridades se apiadaron de su disparatada manera de pensar, pero no fueron capaces de reconocer lo que realmente necesitaba. Al estar sin el ángel que le había dado la oportunidad de existir en el mundo que estaba dispuesto a engullirla, un torbellino de ideas tormentosas la sacudió sin misericordia, y por primera vez en su vida sintió que estaba perdiendo la razón y lo que le quedaba en el corazón. Deambuló con sus cachivaches por calles interminables, entre pistas peligrosas llenas de conductores en busca de aventuras negligentes, atravesando parques de todos los tamaños, cuidados y descuidados, evitando perros que querían devorarla como si fueran leones hambrientos, huyendo de los locos que veían en ella a una de los suyos, hasta que agotó sus fuerzas y sus ganas de seguir adelante. Sobre un puente enorme divisó un río caudaloso que la llamaba como quien llama a un canto rodado para que siga su camino hacia una desembocadura lejana. Cuando el peso de su mente perdida estuvo por lanzarla al vacío, una mano suave tocó su hombro adolorido de tanto cargar lo que nada valía. Al voltear, su mirada ausente se posó en un par de ojos tiernos que le ofrecieron un mensaje de esperanza, se trataba de una bella mujer, vetusta como el tiempo, que además le regaló su mejor sonrisa. De pronto la cordura alumbró por un instante su mente ida, pero fue más que suficiente para darle tiempo a uno de sus hermanos para encontrarla y regalarle aquel abrazo que tanto necesitaba. Su hermano nunca supo cómo dio con ella, solamente la intuición y las coincidencias lo podrían explicar, ¿o habría sido un milagro? «Mi mamita me ha visitado», musitó con su sonrisa desdentada y le regaló a su hermano la brillantez de sus ojos pardos que debieron haber sido iluminados por el alma que ya no quería estar enferma. Ella no pidió nacer con un mal que atormentaría su vida, y su familia no pidió llevar una carga pesada sobre sus hombros, pero las casualidades, las circunstancias y las decisiones equivocadas de algunos que creen que todo lo saben, pusieron a Ella en su camino, y su alma bondadosa, su ángel de la guarda que ahora estaría al lado de su Creador, fue lo suficientemente fuerte para aceptar el gran desafío de sostenerla. El Cielo le había dado una nueva oportunidad y sus hermanos hallarían la forma de que gozara de ella. Después de todo, aunque no llevaran la misma sangre en sus venas, seguía siendo Ella, y merecía seguir siendo querida, amada y respetada.

Jerry Gomez Shor Jr. nació en Lima, Perú, y reside en California. Es gracias a sus continuos viajes y trabajo en la industria del turismo que se interesa en el mundo de las comunicaciones y la escritura.

Sus libros incluyen: *El gorrión y la rana / The Sparrow and the Frog* (2011, Contacto Latino Libros) – Primer Puesto International Latino Book Awards 2015, Most Inspirational Fiction Stories, Young Adult; *Narraciones para un café / Break Time Stories* (2012, Contacto Latino Libros); *Diario de un inmigrante / Journal of an Immigrant* (2013, Pukiyari Editores/Publishers) – Segundo Puesto ILBA 2017, Best Novel, Adventure or Drama, in Spanish; *Chispa de Galaxia: Antología de los trabajos de Diana Shor* (2013, Pukiyari Editores) – Segundo Puesto ILBA 2016, Best Biography in Spanish; *Aristófanes / Aristophanes* (2013, Pukiyari Editores/Publishers) – Mención Honrosa ILBA 2017; *Los jóvenes detectives: El caso de las trece monedas de oro* (2017, Pukiyari Editores); *The Young Detectives: The Case of the Thirteen Gold Coins* (2017, Pukiyari Publishers); *Los jóvenes detectives: El secuestro del Boeing 707* (2018, Pukiyari Editores); *The Young Detectives: The Hijacking of the Boeing 707* (2018, Pukiyari Publishers). El poema *Letrillas II* de *Narraciones para un café* fue convertido en un video, seleccionado como el mejor video de un taller en Los Ángeles en 2016 y salió al aire en PBSLA-KLCS durante una semana.

Se le puede contactar en: jerrygomezshor@gmail.com

El primer beso
Jerry Gomez Shor Jr.

Jeremías era un muchacho de carácter tímido, bastante reservado, inocente e ingenuo, casi tan frágil como el capullo de una flor en pleno desarrollo, temerosa de abrir sus pétalos y recibir los primeros rayos de sol iluminando su vida. Tenía un cuerpo espigado, decorado en la cima con cabello dorado y ensortijado, mostraba piel bronceada como la canela y más pecas que la cáscara de la granadilla.

Un día, Jeremías salió de paseo por una ancha pradera de eucaliptos y sauces regados por un arroyo que serpenteaba el cuerpo de la naturaleza dando vida a un sinnúmero de especies vegetales.

Iba recreándose con la maravillosa vista que se presentaba delante de él, mientras que sus pensamientos vagaban hacia una amiga a quien veía como una estrella lejana e imposible de alcanzar, dejándose imaginarla tal como vino al mundo.

Con estos pensamientos caminaba por en medio de un valle con dos hileras de colinas lisas y tiernas. Al rato llegó a un punto extremo en donde los dos montes se daban el encuentro, uniéndose para dar inicio a un riachuelo.

Sudaba copiosamente por el largo trajinar y se detuvo para refrescarse en las aguas cristalinas que emanaban junto a él.

Cuando terminó de beber, se tendió en una mullida alfombra de flores rojas y anaranjadas cerca del manantial para permitirse un breve descanso.

El sonido del agua pasando por las rocas y el aire sobre la yerba lo relajó, sumiéndolo en un profundo sueño que lo llevó por las nubes de la pasión.

Despertó después de largo rato. Continuó su recorrido alejándose del laguito hasta llegar a la cima de las colinas que ahora formaban un solo monte casi árido, de arenas tostadas por el sol, lisas y suaves, que se anchaban y angostaban según la morfología del terreno, formándose así perfectas caderas en el camino.

Mientras deambulaba por aquel extraño y a la vez hermoso lugar, su mente volaba por el espacio, creando una imagen idealizada de su amada. La veía echada, completamente desnuda, encima de un verde campo, como una rosa en medio de un jardín. Ella se encontraba sumida en un profundo sueño, como esperando a que su príncipe llegase y la despertase con un beso, como en los cuentos de hadas.

Los rayos del sol caían perpendicularmente sobre ella, haciéndola sudar. Sus largos y dorados cabellos revoloteaban a su costado al compás del viento, pegándose muchos de ellos en sus dos rosadas y tiernas lomas, y cubriendo ligeramente una de las íntimas partes de su naturaleza. Sentía su cuerpo húmedo por el agua emanada del subsuelo, mientras que sus caderas, su ombligo... realmente toda su figura, realizaban una serie de movimientos ondulatorios, como si una serpiente se le estuviera enroscando, yendo primero por las piernas, luego las caderas, continuando con el pecho hasta llegar a la cabeza, dejando ver sus espléndidos muslos cuando levantaba una de sus sublimes piernas para refrescarse. Sus caderas, del color de la canela, subían y bajaban; junto con sus redondos y perfectos pechos mojados por el sudor, y la cabellera bailaba al compás de una respiración agitada, como si una fuerza invisible la estuviera poseyendo.

Con el cuadro perfecto de su amor platónico en su mente, el muchacho continuó feliz su icónica caminata por la deslumbrante elevación dorada. El sol caía fuertemente sobre él, haciéndolo ver imágenes irreales con motivos eróticos. Observaba a la distancia que de aquellos cerros sobresalían dos montículos de arena separados entre sí por un pequeño espacio; y en la cima de cada una de ellas, veía un pequeño jardín de flores rosadas.

Conforme se iba acercando, y con la ayuda de la brisa que le refrescaba y clarificaba su mente, observó con más detalle todo el paraje. Parado encima de una de las pequeñas lomas, se dio cuenta de que estaba físicamente localizado en lo que sería la tercera sección de aquella pequeña cordillera. Más adelante se angostaba el camino, formándose como un cuello de botella, y luego empezaba un pequeño bosque; al cruzarlo, se daba por terminada la naturaleza y empezaba el pueblo donde vivía él.

Estando en esta meditación y contemplación escuchó que una voz femenina lo llamaba desde lejos; al voltear el rostro para ver quién era, grande fue su sorpresa al reconocerla: era su querida amiga (y amor inalcanzable para él) que venía en su búsqueda porque toda su familia estaba preguntando por Jeremías.

Mientras ella se acercaba, él empezó a contemplarla con diferentes ojos. La desnudaba con su mirada de adolescente, la vislumbraba echada bajo un sol radiante, mostrando toda su tierna plenitud.

Cuando se le acercó un poco más, ella retrocedió tres pasos, como tratando de evitar su proximidad, asustada por la forma en que él la miraba. Él, sin poder evitarlo, avanzó tres pasos hacia delante y, sin poderse contener, comenzó a acariciarla tiernamente en el rostro. Ella se tapó la cara sonrojada sin saber el por qué. Ninguno de los dos había antes experimentado esa sensación. Lentamente ella sacó las manos de su rostro y al observarlo a él, empezó a verlo diferente, ya no como ese amiguito de ayer, cuando jugaban a las escondidas en el jardín.

Estaban bastante cerca el uno al otro, como a un paso de distancia. Podían escuchar el sonido de su respiración, los latidos de sus corazones. Sudaban un poco, en parte debido al calor del ambiente, pero sobre todo por el despertar de la atracción sexual a temprana edad. Él tenía quince y ella catorce.

Sin pensarlo dos veces, él se le acercó un poco más y le plantó un beso en sus tímidos labios. Por cinco segundos no se movieron, les gustaba ese acercamiento imprevisto y que nunca olvidarían. Aquello a lo que todos se refieren como el primer beso.

Al separarse, se miraron vergonzosos y a la vez felices. Luego, ella le cogió de la mano y empezaron a caminar en dirección al pueblo.

Amnesia
Jerry Gomez Shor Jr.

Un muchacho alto, enjuto y de piel morena caminaba agitado y parecía confundido. Deambulaba, más bien, sin rumbo fijo, por una concurrida calle del centro de Lima. Mientras avanzaba a pasos rápidos, observaba todo el panorama con inquietud porque le recordaba cosas de tiempos atrás, pero no sabía qué.

El olor de monóxido de carbono mezclado con el humo del carbón de una anticuchera en la esquina y residuos de basura en maceración desperdigados por aquí y acullá, permeaban el aire con ese aroma característico y tradicional de la antigua Ciudad de los Reyes.

Anduvo por varias calles. La gran mayoría de personas con las que se cruzó durante su marcha lo saludaron. Algunos incluso le estrecharon la mano y le dieron un par de palmadas en el hombro. Él solamente atinó a sonreírles y contestarles en forma cortés. Los pensamientos en su mente se estaban haciendo cada vez más pesados, como si una nube estuviese envolviéndolos.

Se preguntó a sí mismo: *¿Quiénes eran ellos? ¿Cómo lo conocían? ¿Por qué lo saludaban tan efusivos, como si lo hubieran extrañado? ¿Quién había sido él antes?*

Él nunca los había visto en su vida; sin embargo, le venían ciertas imágenes a su mente de lugares en donde nunca había estado.

Pasaba en ese momento cerca de una bodega y aprovechó para entrar y tomarse una gaseosa.

Era una tienda antigua, con piso de madera oscura y desgastada por el tiempo. Las paredes de quincha lucían descascaradas, pintadas en épocas tan remotas que se hacía difícil precisar el color original.

El hombre que despachaba desde el mostrador, un viejito arrugado de tez tostada, tenía ojos pardo-verdosos, llevaba puesto un sombrero de ala ancha, roído y mugroso, y un bigote al estilo Salvador Dalí, que parecía decir que algún francés que había llegado al Perú, por algún innato deseo de prosperidad, dejó su semilla durante un oscuro encuentro con alguno de sus antepasados.

De pronto escuchó una voz femenina y armoniosa que pronunciaba su nombre, llegando desde el umbral de la puerta.

—¡Fernando. Qué haces, cuánto tiempo! —dijo la mujer.

Sobresaltado, él giró en redondo y quedó frente a la fantástica e indescriptible figura escultural de una mujer atractivamente vestida, con aire aristocrático y peinado trenzado; tan guapa era la mujer que era digna de ser enmarcada para admiración perpetua de los dioses.

El joven se quedó sorprendido y aunque no la recordaba sentía cierta inclinación sentimental hacia ella. Le pasaron por la mente varias imágenes confusas, pero no lograba desanudar el gran nudo que lo había colocado en aquel estado de asombro.

—¡Fernando, qué pasa! —le dijo ella—. ¿Acaso no me reconoces?

—¡No! —le contestó él—. Siento que en alguna parte te he visto pero no puedo recordar.

—No puede ser —contestó ella—. No puedo creer que no te acuerdes de todo el tiempo que estuvimos juntos, compartiendo buenos y malos momentos. No me hagas ese tipo de bromas, que me mataría. Yo nunca te he olvidado, a pesar de que han pasado más de dos años. Si gustas, dime que «ya no me amas»; pero no me digas que no te acuerdas, porque eso no te lo puedo creer.

El joven se sintió abrumado por todo lo que había escuchado de boca de aquella mujer de extraordinaria belleza.

—¡Bueno! —contestó Fernando, considerando que quería aprovechar la oportunidad que se le presentaba para conocerla mejor—. Te puedo invitar algo de beber en algún lugar para conversar y contarnos qué es lo que nos ha ocurrido en todo este tiempo.

Salieron de la bodega y caminaron calle arriba, aproximadamente a tres cuadras de la tienda. La mujer lo miraba sorprendida y él no podía dejar de sonrojarse por lo que le había ocurrido. Sencillamente no la recordaba; aunque su timbre de voz y el ritmo de su caminar le eran familiares.

Llegaron a una cafetería rústica y acogedora, tan antigua que era difícil precisar a qué época correspondía la decoración. Se sentaron uno frente al otro, en una mesa chica y redonda, ubicada al costado de un ventanal que daba vista a una iglesia localizada en la calle opuesta.

—¡Fernando! —dijo ella—. Esta es la misma mesa que acostumbrábamos pedir cuando nos reuníamos para charlar o pasar una velada romántica años atrás.

Sobresaltado, Fernando se puso de pie. Sin saberlo, o recordarlo, instintivamente la había invitado al lugar de su preferencia en otros tiempos. Esperó un rato hasta sentirse relajado y volvió a tomar asiento.

—Querido Fernando… —dijo ella—. Dime qué te ocurre. Te noto raro, ya no eres el mismo de antes, ¿qué es lo que te ha pasado?

—No sé cómo explicarte —respondió él—. Hace aproximadamente dos semanas que he salido del hospital y lo que me contó el médico sobre mi vida antes del accidente es que yo era un hombre casado, sin hijos, abogado de profesión y dueño de una gran casona por los alrededores del Olivar de San Isidro.

—Eso es cierto —respondió ella—. Aunque esa propiedad se encuentra en estado de total abandono. Luce sucia, baldía y tiene las ventanas rotas. En todo ese tiempo únicamente arañas, cucarachas, ratas e infinidad de insectos han hecho de esa casa su hogar. Sabes que mucha gente me ha preguntado por ti, y yo no sabía qué decirles. Desde el día que discutimos por una tontería no volví a verte y pensé que habías cometido alguna locura. Ya te creía perdido…

Diciendo esto, la mujer sacó de su bolsón varios papeles y un joyero de porcelana. Al abrir uno de esos papeles el joven leyó una partida de matrimonio celebrado entre la señorita Shady Casas del Monte, hija del señor José del Monte y su esposa, Carla Casas, chiclayana de nacimiento y Fernando Flores Shore, hijo de don

José Flores y doña Leonor Shore. El documento estaba fechado cuatro años atrás. La mujer abrió el joyero y le mostró dos aros de matrimonio guardados por Shady durante todo ese tiempo.

Al ver todo eso Fernando se quedó pasmado, sin poder pronunciar palabra alguna por varios minutos. Se le hacía difícil creer en lo que había visto, pero los papeles hablaban.

Después de un lapso respondió:

—Según el médico que me atendió todo este tiempo dice que sufrí un fuerte *shock* nervioso a causa del accidente que tuve hace dos años en el auto que manejaba, éste resbaló en una curva y cayó en un precipicio de ciento veinte metros. Dijeron que me salvé por un milagro. Según relatos de algunos testigos del accidente, yo me encontraba manejando muy nervioso y alterado, iba a alta velocidad, y al llegar a una curva no medí bien y caí... quedando clavado entre las rocas y arena, cerca de la playa. Sólo tengo confusas imágenes del accidente pero no recuerdo muchas cosas. He perdido la memoria casi por completo. Pero, según dijo mi médico, con el tiempo y llevando una vida reposada podré recobrarla en un noventa por ciento.

Shady quedó estupefacta por lo que había escuchado de la boca de su esposo y al cabo de unos minutos de silencio se pronunció:

—Mi amor, no sabes cuánto te he extrañando, pero pensé que me habías abandonado, por lo cual quise rehacer mi vida y olvidarte. Ahora que me entero de lo sucedido quisiera que me perdones por no haberte seguido buscando. Lo que más deseo es ayudarte a recobrar la memoria y que regresemos juntos. En todo caso, empecemos de nuevo como si fuese el primer día que nos conocimos.

—Gracias —contestó Fernando—. Espero volver a recobrar todo lo que perdí y trataré de no fallarte otra vez.

Al recibir aquella respuesta del joven, Shady se levantó del asiento y acercándose a él, lo abrazó y colocó sus labios sobre los de su marido para besarlo tiernamente.

El préstamo
Jerry Gomez Shor Jr.

Juan, Carlos y Pedro se reunieron como siempre para un partido de fulbito con un grupo de íntimos amigos, como tantas veces lo habían hecho. En esa oportunidad no se encontraba Felipe, un muchacho que tenía fama de ser tacaño, pero que poseía una fabulosa pelota de cuero envidiada por todos los del barrio.

Entre los tres amigos cavilaron quién iría a pedirle prestada la herramienta esencial del deporte. Ninguno era muy amigo de este muchacho, pero ante la necesidad del momento decidieron que Juan sería el indicado para oficiar el préstamo del preciado balón.

Juan se puso en camino. De la cancha de fulbito a la casa del chico había unas seis cuadras de distancia. Mientras se dirigía hasta allá, silbando con el mejor de los ánimos al compás de las aves que revoloteaban en las copas de los árboles ubicados a los costados de la avenida, iba pensando en la forma en que le pediría la pelota a Felipe. Pero mientras más lo pensaba más negativo se sentía acerca de la personalidad del compañero. Se empezó a sentir mal acerca de todo el asunto. A tal punto que llegó a pensar que no le prestaría la pelota famosa.

Es un tacaño, pensó. *Nunca presta nada y de seguro sucederá así*, se dijo a sí mismo.

De tanto pensar y repensar sus ideas acerca de su amigo en el transcurso del camino, Juan se encontró muy enfadado para cuando llegó a la casa de Felipe.

Tenía el rostro inyectado de furia y sudaba sin cesar. Hasta las manos le temblaban incontrolablemente del nerviosismo causado por la rabia que había acumulado mientras se dirigía a casa de este amigo. Se acercó a la enorme puerta de entrada con grandes grabados en caoba y tocó fuertemente tres veces. Esperó unos tres minutos. Nada, no hubo respuesta. Se sintió aún más furibundo y listo para regresar al campo en donde lo esperaban sus otros dos amigos

En ese momento Felipe abrió la puerta.

El joven lo saludó cortésmente y le dijo:

—Hola Juan. ¿Qué hay de nuevo y en qué te puedo servir?

Furioso, Juan respondió:

—¿Preguntas cómo estoy? ¿En qué me puedes servir, dices tú? Tú, que eres un avaro, un tacaño enfermizo que jamás nos prestas nada.

Asombrado, Felipe murmuró:

—¿De qué hablas? No te entiendo… o sólo has venido a reprocharme de algo que ni siquiera sé de qué se trata…

—¡Hipócrita! —respondió Juan gritando lo más fuerte que pudo—. Bien que sabes de qué estoy hablando. Y ya sé que tu respuesta va a ser un «no», así que podrás hacer de ella lo que mejor te plazca.

Diciendo esto, Juan se retiró más eufórico que nunca y Felipe cerró la puerta tras él. Únicamente una incógnita quedó flotando en la mente del amable muchacho: *¿Qué es lo que Juan deseaba pedirle?*

**Fernando Salmerón** nació en Arequipa y reside en San Antonio, Texas. Es ingeniero de sistemas. Ha recibido una serie de premios y reconocimientos por sus relatos. En el 2015 recibió el segundo premio en el concurso "Cuéntale Tu Cuento a La Nota Latina" de Miami, auspiciado por la Asociación Internacional de Poetas y Escritores Hispanos, con su cuento *A buen entendedor*, publicado en el volumen *Todos contamos 2015* (Snow Fountain Press, 2015); obtuvo el tercer premio con el relato *El tío Toño*, publicado en el volumen *Todos contamos 2016* (Snow Fountain Press, 2016). Su relato, *La jornada de Tadeo Cruz* obtuvo tercer premio y fue publicado en el volumen *Historias que cuentan, selección de cuentos hispanos, 2017* (Snow Fountain Press, 2017). Su relato *La compasión de la muerte*, ha sido publicado en el volumen *Historias que cuentan, selección de cuentos hispanos, 2018* (Snow Fountain Press, 2018). Tiene un libro de cuentos: *Entre ortigas y claveles - Relatos íntimos* (Pukiyari Editores, 2018). Parte de su obra está publicada en su blog: *Don Abelardo, sus notas y sus relatos*; y en su página: *De usos y costumbres*. Es integrante del Taller de trabajo literario Tobin Library Writer's Group, en San Antonio, Texas.

Se le puede contactar en: fernsalmeron@gmail.com

Las Chicas del Can
Fernando Salmerón

Enero. Primer mes oficial de verano en Lima. Mes de tomar cervezas heladitas, salir más temprano del trabajo, ir a la playa y disfrutar la música caliente.

Ernesto sentía cómo se renovaba todo, desde las promesas del primero hasta la moda femenina, y le agradaba mucho todo este conjunto de cambios que alborotaban el ambiente placenteramente. Era cuando empezaban a llegar los grupos de música de otros países, por lo general de salsa, y se organizaban fiestas casi todos los fines de semana.

Casualmente, había llegado una invitación a todo el departamento desde la Gerencia General para ir a ver a Las Chicas del Can, orquesta dominicana conformada solamente por mujeres, que se presentaban con unas minifaldas muy altas, siendo la mayoría mulatas exuberantes, lo cual era suficiente para ir a verlas, pero además tocaban y cantaban bastante bien, en especial las bachatas y esa música dominicana salsera, rítmica y cadenciosa que incitaba a la intimidad.

La invitación era con pareja y además había corcho libre; es decir, se podía llevar una botella de *whisky* u otro licor fuerte. Lo de menos era la comida. Ernesto ya sabía que no iba a ser buena, pues atender las mesas de mil comensales era casi imposible. Siempre llegaba fría y escasa, pero lo importante era estar ahí.

Los preparativos eran la habladuría de todos los días. ¿Qué vas a llevar? Las mujeres ya se pusieron de acuerdo en los vestidos. Si vas a ir en auto o en taxi, hay que llegar temprano para reservar la mesa, no, la mesa ya está reservada, y así durante el día entero.

El departamento donde trabajaba Ernesto era muy unido, y a pesar de que había más de un excéntrico y algunos poco sociables, se reunían a menudo en la casa de alguno, o los hombres salían los jueves a tomarse unas cervecitas después del trabajo. La mayoría compartía un ácido sentido del humor y una inteligencia superior al promedio.

Los jueves de "directorio", como se les llamaba, empezaban jugando dados, en especial dudo. Pero invariablemente se terminaba hablando de la oficina, desde los chismes jugosos hasta todos los cambios que deberían hacerse, empezando por la más alta gerencia hasta el último nivel. En más de una ocasión se creó un cuento que llegaba a los ejecutivos más importantes, y algunos retornaban como iniciativas gerenciales a implementarse.

Los autores intelectuales del rumor se reían a solas y compartían miradas cómplices. Una de las leyes no escritas era guardar silencio perpetuo sobre el origen de estas bolitas.

La fiesta con las Chicas del Can prometía ser uno de los eventos del año para todos, pero Ernesto tenía un problema que lo limitaría mucho en esa ocasión: le habían detectado úlceras en el duodeno y no podría tomar licor. A él le gustaba mucho beber, y en una fiesta como esa sin duda alguna tomaría más de lo usual, que ya era mucho, pero el riesgo era muy alto. No le preocupaban las úlceras en absoluto. Era joven y podría reiniciar el tratamiento después, pero su mujer, su jefe y sus amigos no le permitirían beber así quisiera.

Pasó días enteros cavilando y planteándose alternativas de cómo tomar sin que nadie le dijera nada, pero fue imposible. Hasta pensó en llevarse una chatita llena de *whisky* o vodka y levantarse esporádicamente para ir al baño a tomarse un trago, pero la vestimenta veraniega, muy ligera por el calor, no le permitía ponerla en el bolsillo o en otro lugar del cuerpo. Finalmente se resignó y decidió que esta vez iba a hacer un gran sacrificio: sólo bebería agua.

Poco tiempo atrás se había incorporado al departamento Luchito, un muchacho de unos veintitrés años que todavía estaba en entrenamiento. Usualmente la etapa de instrucción podía durar de seis meses a un año, de acuerdo con el potencial, actitud y también de las necesidades propias del área.

Luchito era blanco como el papel, sufría de un ligero y persistente acné y tenía el poco tino de dejarse bigote en un rostro a todas luces imberbe. El pelo negro, chuto y tieso, llevaba cantidades exageradas de fijador para mantenerlo en su sitio, pero aun así siempre exhibía un mechón rebelde, agresivo y duro como metal que colgaba hacia adelante. Tenía ojos soñadores, como de conejo, pero pardos, y que transmitían a distancia un deseo apremiante de ser aceptado. La diferencia de edad con la mayoría de sus compañeros no era mucha. La gran mayoría andaban en sus veinte y pico, y Luchito fue incorporado inmediatamente como miembro del equipo y puesto en observación.

Con este simpático conjunto de colegas ocurría lo mismo que pasaba en general en todos los barrios, colegios, universidades y organizaciones de Lima. Un individuo nuevo era estudiado por todos, para detectar debilidades y ver si reunía las condiciones para ser miembro del grupo. Nadie admitiría que ésta era la realidad, pero era parte intrínseca de la sociedad limeña. En ocasiones Ernesto recordaba haber visto galpones de pollos con miles de ellos y cómo aquel que tenía una herida en la pata o en el pico era atacado metódicamente por todos los que lo rodeaban, hasta que moría o era recogido para ser parte de un buen caldo esa noche. No podía dejar de relacionar estas dos reglas sociales.

Cuando Luchito y Ernesto intercambiaban miradas, este último entendía su desesperación por agradarle a la gente. Sonreía siempre y los ojos también imploraban siempre. Él había pasado por eso hacía muchos años y varias veces. Cada vez que de chico tuvo que mudarse con la familia, conocer otro barrio, otro colegio, y luego universidad tras universidad; pero probablemente en los trabajos que tuvo fue donde las cosas le parecieron más difíciles. Aunque siempre logró acoplarse, en su fuero interno existía perennemente esa duda de ser diferente. Aun así, se dio maña para ser socialmente aceptado casi en todas partes.

Pero estos temas no son posibles de explicar a nadie, y él esperaba que Luchito se soltara poco a poco para ser uno más.

Algunas cosas definitivamente eran difíciles de asimilar por el grupo. Como su reloj Rolex auténtico o el automóvil BMW último modelo con que llegaba a trabajar.

El Pollo, simpático y aparentemente el más inofensivo miembro del grupo, comentó en el almuerzo:

—Mi auto acaba de cumplir la mayoría de edad y Luchito ya tiene uno como el que yo quisiera tener cuando me retire.

Pocho, otro de los comensales, le dijo:

—Yo solo no he soñado tener un carro así, ni siquiera he soñado subirme en uno.

Felizmente Luchito logró no desarrollar anticuerpos serios y, de alguna manera, era uno más, aunque con sutiles diferencias. Ernesto esperaba que empezase a ir a los "directorios" para intimar un poco y pedirle de buena manera que dejara el Rolex en la casa, que se afeitara la mancha que insistía en conservar sobre el labio superior y que no le diera tanto uso al pegamento para mantener el pelo rígidamente en su lugar. Pero Luchito siempre se excusaba cortésmente, con frases como «Tengo que ir a jugar tenis», «Le voy a hacer mantenimiento a la carcocha» o «He quedado con la familia en ir a comer al Club Nacional». Casi nada, vamos.

Como era de esperar, todos pensaban ir a la fiesta con pareja, ya fuera amiga, novia o esposa; y lo mismo las chicas. Luchito parecía un poco preocupado por el tema, así que Roxana, la secretaria, le preguntó si ya tenía pareja, y él, muy elegantemente y en su estilo, le contestó que la chica con la que iba a ir había cancelado porque tenía que desfilar como modelo en una exhibición benéfica. A esto, ella le sugirió llevar a Antonella, una chica que estaba haciendo prácticas con ella. Roxana lo hacía más por ella que por él, ya que, al no ser empleada, no podría ir, y la verdad, Luchito era un poco disforzado. Roxana no tenía pelos en la lengua y solía decir las cosas en vivo y en directo, sin adornitos ni medias tintas. Cuando Luchito asintió, inmediatamente le dio dirección, teléfono y mapa para llegar, hora de recogerla y de dejarla y algunas indicaciones de vestimenta e incluso de comportamiento. En la última línea le puso "Por favor no fanfarronees y cuidadito con propasarte".

Cuando alguien conversaba con Luchito de algún tema que no fuera estrictamente de trabajo, recibía siempre la impresión de tener al frente a un adolescente de trece o catorce años, con un infantil y soso sentido del humor. Los comentarios de los demás eran siempre irónicos y punzantes. Quique le decía «Te falta calle, te falta calle, manito», mientras Ricardo le preguntaba si era virgen de cuerpo y alma y Pocho añadía que de buena fuente sabía que había transcurrido los primeros veintiún años de su vida en el castillo de Disneylandia, a lo que él se reía tontamente diciendo que no era cierto.

Finalmente, llegó el día esperado. Era viernes, por supuesto, para poder dormir hasta tarde, pues la velada prometía terminar en la madrugada.

Como Ernesto no tomaría, ofreció llevar su auto e inmediatamente el Pollo se apuntó para ir con él y Diana, una chica que iría sola también. Todos los autos se fueron llenando. Nadie le preguntó a Luchito si tenía sitio en el BMW, y él no lo ofreció tampoco.

Cuando empezaron a llegar a la Carpa del Hotel Crillón, en el centro de Lima, encontraron la mesa lista y reservada, y todo parecía ir sobre ruedas. Estaban cerca de la orquesta, pero no tanto como para no poder conversar. El ambiente era perfecto y Ernesto maldecía no poder tomar un solo trago. Había llevado su botella de agua mineral de dos litros, mientras en la mesa se podían ver botellas de Johnny Walker etiqueta negra, Chivas Regal y otras buenas marcas.

El último en llegar fue Luchito con Antonella y una botella de Johnny Walker etiqueta azul, algo que Ernesto solo había visto en fotos, pues el precio era altísimo. Recordaba vagamente que costaba alrededor de quinientos dólares y su lógica era muy sencilla: «Con esa plata puedo comprar diez botellas de un *whisky* aceptable que voy a disfrutar igual». Evidentemente, Ernesto no era un *gourmet* o un *bon vivant* y se sentía satisfecho de no serlo.

Entre baile y baile, la gente fue entrando en calor y todos lo estaban pasando en grande. El mal humor de Ernesto se evaporó junto con el sudor de varios cientos de personas bailando merengues y bachatas. Patricia, su esposa, danzaba maravillosamente, contrastando con él, que se movía como si fuera un tractor con zapatos, pero la fiesta ya estaba armada y el ambiente era sensacional.

Al regresar a la mesa, entre los que se quedaron a disfrutar la música solamente, estaba Luchito. El Pollo, muy observador, comentó que Luchito ya había consumido un tercio de la botella y

Ernesto le dijo que lo dejaran tranquilo, que si podía comprarse esa botella, podía también administrar su consumo.

Volvieron a salir a bailar, y esta vez animaron a Luchito, quien, dubitativo y timidón, tuvo que ceder. No habían pasado cinco minutos y Carlitos y Pocho tuvieron que cargarlo de regreso a la mesa. El pobre se resbaló y, aparentemente, se había torcido un tobillo.

A estas alturas ya era *vox populi* que Luchito estaba tomando muy rápido. Un poco sus propios defectos de carácter y otro poco su falta de madurez influyeron en que hubiera un tácito acuerdo de dejarlo hacer lo que le diera la gana, aunque el resultado era perfectamente predecible.

Ernesto lo observaba entre divertido y apesadumbrado. Pero había que ser ingenuo o no haber tomado jamás para acabarse una botella de *whisky* en menos de una hora. Repentinamente, asimiló la realidad: ¡Luchito nunca bebió una gota de licor en su vida!

Era la única explicación plausible. Pero ya era tarde: Luchito estaba atragantándose con el último vaso de *whisky*.

Meritoriamente, logró mantenerse erguido más de una hora. Antonella se había cambiado de lugar y Luchito había viajado a un rincón mental inalcanzable e inexpugnable. Los ojos, sin vida y ligeramente desviados, y el pelo, medianamente alborotado después de una lucha sin cuartel contra el pegamento líquido que usaba, contribuían a ofrecer una imagen tragicómica de Luchito.

No fue sino hasta que empezó a babear que algunos decidieron ayudarlo. El Pollo y Ricardo lo llevaron a los servicios higiénicos para que se lavara la cara y se despejara un poco. Al llegar al baño, la escasa parte del cerebro que aún funcionaba le ordenó a Luchito echarse en el piso, cuan largo era, entre los charcos de líquidos de dudosa procedencia. A pesar de todos los esfuerzos, no hubo manera de ponerlo de pie, por lo que decidieron arrimarlo contra una de las paredes para que la gente no lo pisara; y allí lo dejaron.

Curiosamente, todos olvidaron el incidente y continuaron la fiesta por un largo rato, hasta que la orquesta dejó de tocar y todos empezaron a despedirse. Con su calma y naturalidad acostumbradas, el Pollo preguntó si dejaban a Luchito en el baño o lo recogían. Fueron todos al servicio y ahí lo encontraron, inconsciente y mojado de pies a cabeza. Nadie quería recogerlo · hasta que Ernesto se ofreció a manejar el auto de Luchito. Patricia manejaría el suyo. De esa manera evitaría tener que lidiar con el transporte de tan pesada y maloliente carga.

Al recoger el auto del estacionamiento, Ernesto recordaba haber protagonizado algunas situaciones similares, quizás no tan embarazosas, y no pudo dejar de compadecer a Luchito. Obviamente había crecido en un ambiente químicamente puro, protegido de cualquier influencia externa. Se imaginaba que lo recogían siempre en el auto de la familia, incluso en la universidad. Nunca supo de broncas, pendejadas, fútbol, yo-yo, trompo, ni de ensuciarse las rodillas con tierra. Mucho menos de los cursis e inolvidables romances de la juventud, las primeras aventuras de adolescente en el Trocadero o las primeras borracheras en los parques.

Le vino a la mente una novela que le había gustado mucho: *Desde el Jardín* de Jerzy Kosinski, donde el personaje principal, Chauncey Gardener ha crecido en una casa sin salir jamás de ella. Cuando sale, debido a la muerte del anciano propietario, es incapaz de conectarse a la realidad, pues su contacto es sólo con el jardín y la televisión.

Salvando las distancias, Luchito era un personaje similar, pero limeñísimo y más joven. Ernesto se distraía con estos pensamientos mientras manejaba para recogerlo y comprendió también que había tomado más de la cuenta para darse valor con Antonella y que la torcida de tobillo fue solo un pretexto para no bailar pues no sabía cómo. Se preguntó qué hubiera sido peor en su caso: si el exceso que rigió toda su vida o la pureza y aridez de la de Luchito.

Finalmente llegó a la entrada, manejando con dificultad un auto que tenía demasiados botones y funciones. Entre Carlitos y Ricardo lo mantenían de pie y Pocho le sujetaba los pies. Luchito seguía sin reaccionar. Lograron sentarlo adelante y Pocho le dijo: «Le hemos echado agua en la cara y la cabeza, pero ha sido inútil. No reacciona. Más bien ten cuidado porque ha empezado a vomitar».

Casi nada.

Una vez sentado, le entregaron una bolsita con su billetera, el Rolex, una esclava maciza de oro y algunos billetes. El Pollo le dio su botella de agua mineral diciéndole que la iba a necesitar.

El camino a la casa de Luchito fue tortuoso, por decir lo menos. La pestilencia era espantosa y el vómito fluía sin control. El aspecto era patético y surrealista.

Ernesto ya sólo pensaba en llegar y tirar el bulto cuanto antes. Cuando arribó a la imponente casa, ya tenía varios minutos con la cabeza fuera de la ventana para poder respirar.

Cuadró el auto en la puerta del garaje y tocó el timbre con la mayor educación posible. Después de todo, no era fácil presentarse ante una familia con uno de los miembros inconsciente por intoxicación alcohólica y en el aspecto que Luchito presentaba.

Frente a la puerta, Ernesto tenía la bolsita con las pertenencias de Luchito en una mano y su botella de agua, ya casi vacía, en la otra. A través del intercomunicador, una voz de mujer lo atendió, y él se identificó como uno de los compañeros de trabajo de Luchito; luego le explicó que como tomó un poco más de lo debido, no podía manejar el auto. Hubo un largo silencio y finalmente la voz dijo: «Un momento por favor».

En unos minutos salió una señora en bata con cara de muy pocos amigos. Se veía que era del tipo autoritario. Miró a Ernesto, recibió la bolsita y fue a ver a Luchito. De un solo grito, Luchito se despertó y entró a su casa como centella.

La mujer se volvió hacia Ernesto y le espetó en la cara:

—¿Cómo es posible que lo dejen tomar así? ¿No tienen ustedes vergüenza? ¡Es un niño, por Dios! ¡Y encima usted tiene el desparpajo de presentarse en mi casa con una botella en la mano!

Mientras tanto, el auto de Ernesto ya había llegado, y el Pollo, que estaba en un estado de ánimo estupendo, se bajó del auto y miraba la escena desde lejos, con sus bracitos cruzados, sonriendo y muy compuestito. Pero la señora seguía con su diatriba sin descanso. No le daba a Ernesto ni un segundo para dar explicaciones que, por otro lado, no quería escuchar. La culpa era de todos, menos de su hijito.

Finalmente, Ernesto pudo decirle a la señora con toda la dignidad que le fue posible:

—¡Señora, yo no he tomado una gota de licor y esta es una botella de agua mineral! Le estoy haciendo el favor de traer a su hijo y nada más.

—¡Degenerado, viejo maltón! Usted es el responsable, sobre todo si no ha tomado. ¡Mi hijo es una criatura! ¿Cómo es posible que permita algo así, pervertido?

Ernesto se dio por vencido y con esa indignación divina que se tiene cuando se sabe estar haciendo lo correcto, se dirigió a su auto, mientras la madre de Luchito le seguía gritando improperios. La solemnidad de la escena se perdió cuando el Pollo tropezó con el sardinel y casi se va al suelo.

El lunes en la oficina, todos esperaban ansiosos la llegada de Luchito para escuchar su versión o sus disculpas, pero él llegó como todos los días, con la sonrisa boba y la mirada implorante, saludando a todos como si nada hubiera pasado.

Ricardo resumió en una frase el sentir de todos:

—Me siento como culo en bidé; totalmente anonadado. No puedo creer que ni siquiera se sienta avergonzado, por lo menos un poquito.

Nadie volvió a hablar del incidente, pero nunca más lo invitaron a reuniones o a directorios. Solo Ernesto comprendió la supina desconexión con la realidad que pasaba por la cabeza de Luchito.

Pocos meses pasaron hasta que Luchito renunció para gerenciar una de las compañías de su papá, una importante constructora. Todos olvidaron al personaje hasta que Ernesto leyó en el diario acerca de la disolución de la empresa. Sin sorpresa, concluyó que su excompañero debió haber sido el último en enterarse.

 **Ulises San Juan** nació en Cuzco, Perú. Reside actualmente en Ohio. Es fotógrafo profesional y promotor cultural. Sus relatos "Memorias transnacionales", influidos por las vivencias de sus viajes, fueron publicados en el libro *Cuszco: Relatos*, que tiene como compilador a Carlos Sánchez Paz, (Cuzco: Editorial Ángeles & Demonios, 2015). Otra parte de sus narraciones, entrevistas y ensayos han sido difundidos en la revista en línea *Vallejo & Company*, Perú. Colabora periódicamente en el blog *Hawansuyo*, (NuevaYork, EE.UU.). Es columnista de la página cultural del diario *Exitosa* y publica esporádicamente en el blog político-cultural, *La Mula*, Lima, Perú.

Se le puede contactar en: ulises.sanjuan@gmail.com

León americano
Ulises San Juan

A Patrocinio Bautista lo conocí un día que repartía tortillas al Restaurante Isalita. Nos hicimos amigos. Cada vez que nos reuníamos, luego de conversar sobre fútbol y las desgracias de nuestros países, Patrocinio me hacía siempre la misma pregunta: «Por qué hacen leer libros de Mariano Azuela y Juan Rulfo en los cursos del Departamento de Lenguas Romances». Añadía: «¿Por qué se siguen enseñando historias donde se da una mala imagen de México? Los campesinos siempre son pobres, resignados y violentos». Sabía de qué hablaba Patrocinio. Los Bautista eran la evidencia de que los oaxaqueños estaban en una mejor situación que los personajes de las obras literarias. Eran alegres, pacíficos y prósperos. Tenían su propia tortillería y vendían queso fresco preparado por ellos mismos en las tiendecitas de Detroit. Sus hijos estudiaban con becas para minorías en la Universidad de Michigan.

Mi amigo mixteco Patrocinio me pasó el dato sobre un baratísimo alquiler de un cuarto durante un almuerzo en el que ingerimos pozole y tequila. Después de una semana de compartir el almuerzo empecé a vivir en la casona de Rebeca, una norteamericana cuarentona. El alquiler de la habitación, dos veces más grande de la que habitaba, costaba la mitad del anterior. En reciprocidad por su generosidad yo tenía que cortar el césped dos veces al mes en la primavera y el otoño y palear la nieve cada vez que ocurriera una tormenta en el invierno. Acepté el trato sin entender bien por qué Patrocinio me recomendó a Rebeca, él sabía que yo iba a hacer los servicios que sus paisanos le proveían.

Yo había decidido vivir con angloparlantes para mejorar mi pronunciación y conocer la cultura norteamericana desde la cotidianidad. Además, terminé mi relación con Jennifer, mi enamorada puertorriqueña. El departamento donde vivíamos juntos me hacía recordarla. A pesar de que me había deshecho de todos los objetos relacionados a ella, las paredes y el aire mantenían su olor y todavía escuchaba ecos de su voz. Me dije *prohibido estar triste*, me mudé y tomé la decisión de dejar de frecuentar conocidos que me hacían preguntas sobre Jennifer. Ellos creían que iban a tener una oportunidad con ella. Pensaban que su compañía iba a aminorar su soledad y la enorme nostalgia que tenían por sus lugares de origen.

Rebeca, la dueña de casa, era muy cosmopolita y políglota. Había vivido en muchos países y hablaba varias lenguas. Sabía español, alemán, persa y coreano. Ella era hija de un general del ejército norteamericano. Antes de que se convirtiera en universitaria, ella y el resto de su familia lo acompañaban, en lapsos de cuatro años, en distintas bases militares desperdigadas por el planeta. Rebeca pertenecía a los últimos remanentes de la generación *hippie*. Cuando me mudé a su casa, acababa de perder su trabajo de locutora a tiempo completo debido a la reorganización de la corporación que le daba empleo. En esa época empezaron los monopolios de la radio. Para ahorrar dinero y manipular a la población con propaganda derechista, un mismo programa lo transmitían en cadena. Así es como se hizo famoso Rush Limbaugh. A Rebeca le ofrecieron un trabajo a tiempo parcial que disminuía sus ingresos a casi la mitad. Para equilibrar su presupuesto y tratar de mantener su nivel de vida empezó a alquilar dos habitaciones de su enorme casa, vestigio de una época de prosperidad perdida. En los meses que estuve en su vivienda, tenía una inquilina iraní que no venía a dormir los fines semana. Era la novia de un estudiante graduado de política internacional. Rebeca era una lectora voraz. Leía libros sobre los países donde había vivido con su familia. Cuando charlábamos quería confirmar sus conocimientos de la historia, cultura y sociedad latinoamericanas. También escuchaba con mucha atención nuevos temas que yo introducía.

Como era de esperar, me presentó a sus amigos desde la primera semana. Organizaba reuniones en su casa una vez al mes. Cuando le dije de donde era, me preguntó si sabía preparar ceviche y pisco sour. Le contesté que sí. Desde ese día mi ceviche, mi pisco sour y a veces una papa a la huancaína eran infaltables en esos memorables sábados. Los invitados contribuían a la fiesta con postres, bebidas, alcohol, ensaladas y de vez en cuando un plato caliente. Mis ceviches se convirtieron en la atracción de la temporada. Encontré lenguado fresco recién traído de Nova Scotia en la pescadería Monahan's. Los *key limes*, que tienen un sabor cercano a los limones de Chulucanas, los compraba en Merchant of vino, un supermercado para *gourmets*. El pescado era carísimo, quince dólares la libra. Por supuesto que Rebeca me daba el dinero. Parece que hacía una colecta entre los invitados para comprar las ocho libras de lenguado más otros ingredientes. Yo preparaba la receta del chino Wong de Balconcillo. Su ceviche tenía cinco ingredientes básicos: cebollas, lenguado, limones, sal y pimienta. Nada más. La aprendí cuando mi padre me llevaba a almorzar al restaurante del malgeniado chino Wong en los ochenta. Si los clientes no le caían bien, les decía que ya se había terminado el lenguado. Cuando se iban empezaba a despotricar contra ellos. El restaurante no era tan famoso, ni limpio, ni tan caro como lo es ahora. Era un cuchitril que estaba ubicado en una calle con aceras rotas y pista con huecos donde disfrutaban de sus delicias culinarias una mayoría de bien pagados empleados bancarios. Sólo servía dos platos en base a lenguado. Su ceviche era el plato frío. El caliente lo cocinaba en un *wok* con salsa *mensí*. El ceviche no estaba acompañado por tajadas de camote o canchita. El chino decía que distorsionaban el sabor. Su ceviche había que comerlo solo. Había hecho el esfuerzo de eliminar muchos ingredientes. Con los cinco últimos alcanzó el límite. Si eliminaba uno más dejaba de ser ceviche y se convertía en tiradito o algo parecido. Si el comensal insistía permitía galletas de soda.

Mi ceviche se hizo famoso en los círculos progresistas de Ann Arbor. Los invitados a las reuniones de Rebeca insistían en pedirme el secreto de la receta. Les bromeaba que si lo revelaba iban a dejar de venir a las recepciones de mi dueña de casa. No les conté que el secreto que compartía con sus clientes de confianza el chino Wong era simplísimo. El ceviche se tiene que preparar con los ingredientes más frescos que se puedan encontrar y hay que aprender a filetear el lenguado de una manera particular para que salgan todos sus sabores y se sientan las texturas diferentes de sus carnes.

En estas reuniones se comía, se charlaba y se escuchaba música la mayor parte del tiempo. Era un viaje al pasado musical de la contracultura norteamericana. Al final de la fiesta, entre la medianoche y las dos de la mañana, era el turno de una excelente imitadora de Janis Joplin y un grupo de cinco cantantes que se llamaban The Lionesses of the Huron River, Rebeca formaba parte de este quinteto. Ellas cantaban el repertorio de The Supremes y arreglos musicales en coro de canciones famosas con el acompañamiento del sonido de Hedediah Johansen, el guitarrista. Me di cuenta de que él se iba en el carro de una mujer distinta cuando finalizaban las fiestas. Esta parte de la reunión era la que más se acercaba a una cuchipanda latinoamericana. Se ponía música salsa de Fania All Stars, flamenco de los Gypsy Kings y bachata de Juan Luis Guerra. La mayoría de las mujeres nos sacaban a mover la cintura a Patrocinio y a mi persona. Yo contento bailaba con todas las que querían. Mis acompañantes se reían cuando se daban cuenta de sus pasos torpes que no correspondían al son de la música o les hacía dar vueltas hasta marearlas.

Conocí a personas que nunca me imaginé que podían existir en los EE.UU. Los más viejos formaron parte de la Brigada Lincoln que defendió a la República en la Guerra Civil Española. Otros habían sido Black Panthers. Los más jóvenes pertenecían a diversos movimientos de solidaridad con países donde se llevaban a cabo guerras civiles o eran admiradores del coronel Khadafy. También se encontraban fanáticos trotskistas norteamericanos y extranjeros que ya discutían sobre la posthegemonía e infrapolítica. Algunos eran dirigentes de los pocos sindicatos que sobrevivían a la restauración derechista de Ronald Reagan. Tuve conversaciones interesantísimas y recibí invitaciones a varios eventos. Asistí a conciertos, marchas de solidaridad y estrenos de películas alternativas. Fui como voluntario a *soup kitchens* en Detroit y participé en actividades para recaudar fondos. Nuestra complicidad o amistad se consolidó cuando viajamos en un autobús alquilado para participar en la marcha que promovía la paz en El Salvador, en el Mall de Washington D.C. Durante la marcha, hubo una confrontación con un grupo de *punks* solidarios con causas latinoamericanas.

La policía encontró la excusa perfecta para agredirnos. Nos lanzó gas lacrimógeno, nos golpearon y fueron arrestados varios de la delegación. Para nuestra mala suerte, ese día llovió mucho y estábamos empapados. Parecía que habíamos sido víctimas de un rochabús. En el Mall de Washington D.C. hay pocos árboles y los personales de seguridad de los museos no permitían que los manifestantes buscaran refugio en sus instalaciones. Tiritábamos con la ropa mojada en el autobús en nuestro viaje de regreso a Ann Arbor. Alguien sugirió que nos quitásemos la ropa y nos juntásemos para compartir el calor de nuestros cuerpos como los inuit. A pesar de ello, varios nos resfriamos. A una compañera le dio pulmonía.

Después de varias semanas de convivir con este grupo, conseguí lo que me propuse. Mi manejo del inglés y mi interacción social con los nativos daba envidia a mis compatriotas y amigos extranjeros. A los menos tímidos y más cercanos los llevaba a estas reuniones para que me ayudasen a hacer bailar a las gringas, cuando no venía Patrocinio, y pasar un buen rato con abundante comida, bebida, puros cubanos y marihuana. Algunos iniciaron amoríos breves que ayudaron a aliviar su soledad.

Se hablaba mucho de política mas no de religión en estos eventos. Como buenos ex *hippies* seguían practicando el amor libre a pesar de la epidemia del SIDA y fumaban marihuana contraviniendo la guerra contra las drogas que había declarado el gobierno norteamericano. Eran muy abiertos para hablar, con bastante humor, sobre su vida sexual. Recomendaban posiciones para alcanzar el placer supremo o embarazarse. Daban sus testimonios sobre sus descubrimientos de nuevos afrodisiacos, estimulación de ciertas partes del cuerpo y la aparición de nuevos juguetes sexuales. La conversación se ponía seria cuando las mujeres, que bordeaban y pasaban los cuarenta años, de distintas maneras aludían a la maternidad. Aunque la rechazaban por principios políticos, admitían con cierto disimulo que querían ser mamás. Discutían sobre las conveniencias e inconveniencias de un hijo adoptivo o biológico, convertirse en madres solteras, formar una familia convencional de padre y madre o familias con dos madres. Las mujeres eran conscientes de que su reloj vital estaba en su contra. A mí esta parte de la fiesta se me hacía aburrida. Creía que tenía muchos años por delante para decidir ser padre. Estaba seguro de que no quería engendrar hijos en este mundo tan desigual y superpoblado. De vez en cuando, convencía a una invitada, más joven o de mi misma edad, para visitar mi morada. Algunas se quedaban hasta el día siguiente. Con ellas aplicábamos las lecciones recién aprendidas de nuestros amigos mayores. Con otras, nos escapábamos en la mitad de la fiesta hacia un bar.

Mi dueña de casa decidió ser madre. Lo intentó varias veces pero no se embarazaba. Trataba de ser discreta con su vida privada, pero a pesar de que la casa era grande se escuchaban ruidos de encuentros amorosos a diferentes horas del día. Cuando sus exámenes de embarazo indicaban negativo lloraba y se deprimía. Un día que volví de la universidad me abrió la puerta con una felicidad inusual. Finalmente la barrita indicaba el signo positivo. No me atreví a preguntarle quién era el padre. Como inquilino, fui testigo de las distintas fases del embarazo. Observé sus cambios emocionales y físicos. Olí y vi cómo satisfacía sus antojos. A medianoche me despertaba el olor de tocino y ostras fritas en mantequilla. Mientras desayunábamos, la veía comer pescado, pepinos y pimientos encurtidos, *bagels* untados con crema de queso y *chives*, jamón serrano o queso manchego. Acudí a su socorro cuando le daba arcadas que le producían asfixia o corría el riesgo de perder el sentido debido a los severos cambios de temperatura. Por fin nació el bebé después de ocho meses. Yo no la llevé al hospital como lo habíamos planeado porque estaba enseñando cuando se le rompió la fuente. Me enteré del parto por los mensajes que dejaron sus familiares y amigos en la máquina contestadora cuando retorné de la universidad. Averigüé la dirección del hospital y fui con un ramo de flores. No pude verla personalmente en mi visita. Le habían hecho una cesárea. La ginecóloga dejó indicado que no podía recibir extraños en su dormitorio por tres días para evitar cualquier posibilidad de infección. Pero sí observé al bebé en la incubadora; se parecía mucho a Rebeca, y finalmente me enteré quién era el padre. El recién nacido era un niño y su progenitor era Hedediah, el guitarrista que acompañaba a las cantantes en las fiestas. Él fue un *green beret* y era veterano de la Guerra de Vietnam. Siempre vestía una chaqueta verde y calzaba botas militares extrañas a las que solo tenían acceso los cuerpos de élite del ejército norteamericano. Vivía de una pensión del Gobierno y de esporádicas presentaciones musicales. Estaba desempleado y se dedicaba a la guitarra como pasatiempo.

Rebeca y el bebé se instalaron en casa. El parto fue complicado por la edad de la madre. Le puse el nombre de Tupac a su hijo. Creo que yo fui responsable de esta decisión. Cuando le conté sobre la rebelión de Túpac Amaru II, meses antes, quedó impresionada con la vida del líder y la dimensión de su gesta en el siglo XVIII. La vida cambió para todos. Desaparecieron las fiestas y los llantos del niño ya no permitían escribir y estudiar. The Lionesses la visitaban con frecuencia para ayudarla en la crianza del bebé. Me di cuenta de que todas ellas se pusieron de acuerdo en quedar embarazadas. En pocos meses a todas se les notaba distintos tamaños de vientres abultados. Mi dueña de casa fue la primera de una serie de partos que se sucedieron en pocas semanas. Fui al hospital cinco veces llevando flores o chocolates. En cada visita me enteraba que los niños y niñas que vinieron al mundo compartían la mitad de su banco genético. Hedediah era el padre común. En las cinco veces que visité el hospital para saludar a sus mujeres e hijos, antes de felicitarlo, Hedediah me hacía una mueca de alegría levantando las manos al mismo tiempo. Nunca me dio explicaciones sobre su paternidad múltiple. Sin embargo, con lenguaje corporal me comunicaba un «¡Qué se hace, hermano! ¡La vida es así!». Aunque cada mujer seguía viviendo con su nuevo vástago en su propia morada, parece que por turnos organizaban reuniones una vez a la semana donde se juntaban las madres, los cinco bebés de la misma edad —Tupac, Malcolm, Martin, Angela, Anais— y su padre común.

Mi dueña de casa se vio en la obligación de darme explicaciones de la situación de la que era testigo. Con tranquilidad me explicó que todas ellas y Hedediah eran amigos desde el kindergarten. Se conocían muy bien y las mujeres habían decidido crear una familia especial y hacerse embarazar con el veterano de la Guerra de Vietnam. Aunque estaba un poco tronado, era guapo, saludable, inteligente y cariñoso. Es decir: poseía todas las características imprescindibles para ser un buen padre, según ella. También me contó que las cinco mujeres habían convenido ayudarlo económicamente en partes equitativas. Su pensión de veterano se reducía con la inflación y no podía tener una buena vida. A cambio, su nueva responsabilidad era cuidar a los cinco niños mientras las madres trabajaban. No sé cuál fue el resultado de este acuerdo. Decidí mudarme. Tupac cambió la rutina de la casa que compartimos. Lloraba cuando tenía hambre o ensuciaba los pañales. Cuando empezó a gatear, se aparecía en mi cuarto. Le gustaba jugar con mis pertenencias. Los días que me olvidaba de cerrar la puerta, me esperaban libros y papeles desparramados en el suelo de mi recámara. Los fines de semana, que venían a visitarlo sus madrastras, padre y hermanos, era imposible quedarse en casa. Empezaba el caos total. Me alejé por los duros estudios del doctorado. Los terminé bastante frustrado. No me dieron una beca que me merecía para escribir la tesis. Dejé Ann Arbor para encontrar trabajo en otra ciudad.

Muchos años después tuve que hacer un viaje a Ann Arbor a regañadientes. Los malos recuerdos habían borrado a los buenos. Antes de iniciar el viaje, llamé por teléfono a Patrocinio, pero el número de teléfono que tenía estaba en desuso. También le escribí un *e-mail* a Rebeca preguntándole si podía verla personalmente. Era una de las pocas amistades con quien mantuve esporádica correspondencia. Luego de cumplir mis obligaciones, me encontré con ella y Tupac en el Pasty Peddler, un café y panadería que servía pasteles al estilo francés. Rebeca me contó que había vendido la casa que compartimos por dieciocho meses. No podía cubrir su mantenimiento con sus ingresos y tuvieron terribles experiencias con inquilinos. Con el dinero de la venta de su mansión compraron un departamento y pusieron el resto en una cuenta bancaria para vivir. Tupac había heredado el talento artístico de sus padres. Era poeta, tocaba la guitarra y era vocalista de su propia banda de *punk-ska*. Me preguntó, en un aceptable castellano, sobre el significado de su nombre. Para ser didáctico le hablé sobre las conexiones entre el Túpac Amaru II peruano y el rapero norteamericano Tupac

Shakur. Cuando le conté el desorden que creaba en mi dormitorio me pidió disculpas. Fue una amena reunión. Aproveché la oportunidad para preguntarle a Rebeca si nuestra conversación sobre Túpac Amaru II determinó el nombre que llevaba su hijo. Su respuesta fue afirmativa. Me agradeció por haberle introducido al tema. Después de nuestra plática sobre la rebelión anticolonial a fines del siglo XVIII que tuvimos hace varios años, ella leyó libros sobre el tema y escogió, sin lugar a dudas, el nombre de aquel líder para su hijo. Reímos y recordamos incidentes de las fiestas y el viaje a Washington D.C. Rebeca añadió que seguía trabajando a tiempo parcial haciendo traducciones en cinco idiomas. Me puso al día sobre la gente que venía a las cevichadas. Uno de los Black Panthers ya no pertenecía al grupo. Descubrieron que era un agente del FBI y que nos estuvo espiando todo el tiempo. Varios de nuestros amigos habían fallecido de manera poco heroica. Todos los miembros de la Brigada Lincoln y los perseguidos por la caza de brujas de McCarthy sucumbieron por el peso de los años o enfermedad. Tres trotskistas murieron víctimas del SIDA o de asesinatos sin resolver. Dos mujeres miembros de The Lionesses habían pasado a mejor vida con cáncer al seno y a los pulmones respectivamente. Las más pudientes adoptaron a Malcolm y Anais. Hedediah murió cinco años atrás atropellado por un SUV manejado por una mujer que conversaba por teléfono celular. Con excepción de Tupac, sus hermanas y hermanos estudiaban sus primeros años en la universidad. Dos de ellos se quedaron para asistir a la Universidad de Michigan, la tercera va a Berkeley y el cuarto recibe clases en Pitt. Los Johansen residentes en Ann Arbor se juntan los fines de semana para afianzar los lazos familiares. En las vacaciones, Thanksgiving y Easter, se reúnen y organizan eventos sociales donde nunca faltan los cinco hermanos y las tres madres sobrevivientes. Cuando le pregunté sobre Patrocinio, me contó que ahora es millonario. Es dueño de una fábrica de quesos y tortillas mexicanas que se distribuyen por todo el medio oeste. Su hijo mayor es modelo y los menores, luego de graduarse de ingenieros en la Universidad de Michigan, lo ayudan a administrar los negocios. Cuando nos despedimos, los invité a pasar una temporada en mi casa. Les prometí preparar un ceviche al estilo Wong en New Orleans, con lenguado recién pescado. A Rebeca y a mí nos dio un ataque de risa. Tupac nos miró a los ojos con desconcierto, sin saber por qué nos reíamos tanto.

El gringo Jake
Ulises San Juan

En 1992 obtuve mi primera beca para realizar trabajo de campo sobre "La danza de la conquista" en Guatemala y el sur de México. El financiamiento me permitió vivir en Mesoamérica tres meses. Fue un viaje lleno de experiencias límites. En el vuelo de ida a Ciudad de Guatemala me tocó estar sentado al lado de una misionera evangélica de Alabama con ojos alucinados. Creía que la Biblia y el béisbol iban a salvar a los niños guatemaltecos del comunismo. En el primer hotel que me alojé me confundieron con un inmigrante peruano que debía haber llegado en esos días en su ruta a los EE.UU. Su madre me llamó desde Chiclayo. A pesar de que hice la aclaración de que no era la persona a quien buscaban, el coyote me despertó a medianoche para indicarme que una furgoneta nos iba a recoger en cuatro horas para seguir el viaje al norte. Cuando me di cuenta de que estaba en un lugar que formaba parte de una red de tráfico humano busqué otra morada.

Encontré el Hotel Special en el centro de la ciudad. En este alojamiento barato también ocurrieron hechos extraños. Una noche, me despertaron los gritos de un anciano tejano, con sombrero y botas de vaquero, que quería hacer valer una reservación. Los administradores del hotel le dijeron que no existía una a su nombre. El tejano reclamaba con insultos y luego empezó a patear todo objeto que estaba a su alcance con sus destructoras botas. El recepcionista, desesperado, hizo varias llamadas mientras el anciano despedazaba el mostrador a patadas. Intervinieron la policía y el cónsul norteamericano para calmarlo. Al final, lo hicieron subir a un taxi y se lo llevaron.

En el hotel, conocí a Adam, un joven fotógrafo de Massachusetts, de una manera bastante curiosa. En la primera conversación que tuvimos me preguntó si tenía condones. Le contesté que sí pero que tenía que subir a mi habitación para traerlos. Cuando le entregué su pedido, leyó las indicaciones de uno de ellos y rompió el envoltorio. De una bolsa que tenía a la mano sacó rollos de película, metió varios en un preservativo e hizo un nudo. Me preguntó si tenía más. Cuando le dije que sí, me contestó que me los compraba. Luego me explicó que quería conservar los rollos de película de la humedad. Para su suerte, yo había traído los condones apropiados para sus fines. Estos no eran lubricados. Su proyecto fotográfico consistía en sacar instantáneas con sus Leica y Nikon de los pies de personas que caminaban en las calles. Su teoría visual sostenía que era suficiente ver las fotos de pies descalzos o con zapatos para darse cuenta de la identidad cultural, la posición económica, social y política de las personas. Estaba orgulloso de haber obtenido un grado académico en la Universidad de Chicago. Practicaba matemáticas en sus ratos libres para no perder su agudeza mental. No hacía lavar su ropa interior. Ahorraba dinero cuando compraba por docenas calzoncillos, camisetas y calcetines de algodón. Los tiraba a la basura cuando los consideraba lo suficientemente sucios. Los empleados del hotel los recogían y se los llevaban a casa para que cobren una segunda vida. Adam una vez a la semana me pedía acompañarlo a un McDonald's. Yo esperaba que terminara su Big Mac para comer un pastel de manzana.

También conocí a Rachel, una estudiante de doctorado de la Universidad de California, Berkeley. Ella era vegetariana y muy parecida a Shirley Temple. Hacía trabajo de campo en Guatemala para su tesis de doctorado. Su proyecto era estudiar la relación de Rigoberta Menchú con las comunidades de base. Estaba casada con un abogado. Su marido trabajaba para una prestigiosa firma de San Francisco y la visitaba cada dos semanas. Su meta era tener hijos apenas culminara su tesis de doctorado. No tenía planes de hacer una carrera universitaria. Tampoco quería trabajar fuera de su hogar. Había decidido ser ama de casa a tiempo completo. Su familia no necesitaba sus ingresos. El sueldo de su marido era muy alto y ella era heredera de una fortuna en Arkansas.

Por último, hice amistad con Jake O'Hara, un mexicano-norteamericano que estaba enseñando un curso acelerado de inglés en la Universidad de San Carlos de Guatemala durante el verano. Formaba parte de una misión del Club de Leones que promovía la fraternidad entre las ciudades hermanas de Allentown y Ciudad de Guatemala. Con Jake inicié una amistad entrañable. Su bilingüismo ayudó a que lográramos un nivel de comunicación superior a las del fotógrafo y la estudiante de Berkeley.

Los cuatro generalmente nos encontrábamos en el patio del hotel para charlar sobre lo que habíamos hecho durante el día. Los hombres de este grupo íbamos a cenar a diferentes restaurantes cercanos al hotel y continuar la conversación. Un día comíamos pollo, otro día carne de res, el siguiente pescado y así sucesivamente. Rachel se quedaba en el hotel. Sus cenas consistían en ensaladas de frutas, yogurt y granola.

Era muy difícil socializar con los guatemaltecos. A pesar de que se estaba reintroduciendo la democracia, se notaba claramente un ambiente de miedo y desconfianza. Apenas se daban cuenta de que su interlocutor era extranjero empezaban a hablar sobre trivialidades. Nadie quería opinar sobre nada. Los escuadrones de la muerte seguían con sus operaciones clandestinas. Cada día aparecían cadáveres desmembrados en los basurales de la ciudad. Sobre todo, la comunidad académica estaba traumatizada. Meses antes de mi llegada asesinaron a la científica social Mirna Mack de AVANCSO y durante mi estadía apareció muerto, con señales claras de tortura, un antropólogo de la Universidad de San Carlos, dirigente del sindicato de docentes. En estos dos casos los paramilitares estaban advirtiendo a los intelectuales que mantenían el poder y la democracia tenía límites.

Un día Jake me pidió tener una conversación a solas. Fuimos al restaurante español Altuna que quedaba a pocas cuadras del hotel. Estaba completamente desencajado. Me comunicó que acababa de morir su hermana menor, Carolina, en la Ciudad de México. Había fallecido después de dos meses de retornar a su país de nacimiento con cáncer al páncreas. Su muerte hacía sentido con su salida intempestiva de los EE.UU. Carolina en su último día en Texas preparó dos maletas con sus bienes más preciados. Regaló y puso en la basura el resto. Manejó en su automóvil viejo de un pueblito al Aeropuerto Internacional George Bush de Houston. Luego de sacar sus maletas abandonó el carro en el estacionamiento. Se embarcó en el primer vuelo que encontró hacia Ciudad de México para nunca más volver. Jake señaló que Carolina era la menor de seis hermanos. Por ello, era la que había sufrido más en la vida después de la muerte del padre.

En anterior conversación, Jake me contó que el progenitor de los O'Hara era un veterano de la Guerra de Corea que no pudo reinsertarse en su país terminado el conflicto. Decidió viajar en una Harley Davidson desde Pennsylvania hacia el sur. Visitó pueblos y ciudades por varios meses hasta que finalmente se estableció en México D.F. Una muchacha mexicana le hizo echar anclas. El padre y madre de Jake se amaron intensamente. Nació el primer hijo y siguieron cinco más. Para sostener a su numerosa familia el padre de Jake enseñaba inglés en varias preparatorias. Su madre se dedicó a tiempo completo a la crianza de los hijos en una quinta de la colonia Roma. Por más que Mr. O'Hara trabajaba un promedio de doce horas al día el dinero no alcanzaba. Sus ingresos bajos más el consumo frecuente de alcohol hizo que la familia siempre estuviera atrasada en los alquileres y que las comidas fuesen austeras. El padre de Jake desarrolló una cirrosis que lo llevó a la tumba después de diez años de vida intensa en México. Su madre, incapaz de alimentar a su progenie, envió a los cuatro mayores a los EE.UU. para que los cuidaran sus parientes paternos y se quedó con los dos menores. Cada uno de ellos fue ubicado en diferentes hogares. No tuvieron problemas de comunicación. Felizmente su padre había acertado en hablarles en inglés y en haberlos inscrito como ciudadanos en el consulado estadounidense de la Ciudad de México.

En los Estados Unidos trabajaron desde que llegaron, ya sea en las casas de sus parientes o en pequeños negocios que poseían. A Jake le tocó trabajar como mesero en el bar y restaurante de su tío Patrick O'Hara. Allí se servía cerveza y comida irlandesa. Estaba ubicado en Manayunk, Philadelphia. Los hermanos O'Hara Corona extrañaban a su madre y a su país.

Cuando Jake terminó la escuela secundaria decidió volver a México para estudiar en la UNAM. Llegó un año después de la masacre de Tlatelolco. Asistió por dos años a la Facultad de

Derecho. Se enamoró perdidamente de Lucero, una compañera de estudios. No pudo terminar la carrera. Su vida era complicada. Trabajaba en Sanborn's para poder mantenerse y asistía a clases en las noches. Su madre convivía con un jamaiquino de precaria situación económica. Tenía que apoyarla. Un día desapareció Lucero. Jake y la familia de su amada la buscaron, pero no la encontraron.

La difícil vida de un estudiante universitario que trabajaba, además de la desaparición de la mujer de su vida, contribuyeron a que volviera a los EE.UU. Eran los primeros años de la década de los setenta, en el siglo pasado. En su segunda patria decidió estudiar Educación para convertirse en profesor de español en la escuela secundaria. En la universidad conoció a la que iba a ser su esposa, Samantha. Cuando terminó de estudiar su carrera de maestro consiguió trabajo, se casó y tuvo dos hijos. Su vida familiar era una más de la clase media. Dos salarios de maestros de escuela alcanzaban para vivir cómodamente. Compraron una casa de campo, dos automóviles y criaban a un perro y un gato. Amaba a su esposa, pero confesó que no se podía apartar de la mente a Lucero. Cada vez que visitaba a su madre en México intentaba encontrarla. Nunca tuvo éxito.

En otra conversación, Jake habló sobre su primer día de clases en la Universidad de San Carlos. Ese día casi sufrió un infarto. Una estudiante guatemalteca era idéntica a la Lucero que desapareció en la Ciudad de México. Lupita era una muchacha de veintitantos años. Podía ser su hija. Cuando leyó los apellidos se dio cuenta que la misma apariencia era una mera coincidencia. El apellido materno de Lupita no correspondía con el de Lucero. Lupita era una estudiante muy lista. Aprendía rápidamente las lecciones de inglés. Esperaba a Jake después de la clase para pedirle más tarea y practicar su inglés. Las conversaciones se hicieron costumbre. En una de las primeras, Jake le preguntó de dónde eran sus padres (para confirmar). Le contestó que eran de Belize. Jake guardaba la esperanza de que la madre de Lupita era Lucero con la identidad cambiada. Pidió conocer a sus padres. Cuando Lupita se los presentó murió su esperanza.

Jake continuó su relato. Él y Lupita hablaban, haciendo constante *code switching,* sobre sus vidas diarias en las largas caminatas al hotel. Cuando llegaban a la puerta del hospedaje del maestro de inglés se despedían hasta el día siguiente. Pasaron las semanas. El curso ya iba a terminar. Los estudiantes organizaron una fiesta de final de ciclo. En la reunión comieron y danzaron al compás de la marimba. Sonriente, Jake me contó que bailó con todas sus alumnas a modo despedida. Cuando le tocó el turno a Lupita, Jake, mientras bailaba un bolero cantado por un imitador de Luis Miguel, sintió una extraña sensación. Su compañera de baile se acurrucaba en su pecho. Jake sentía el calor de su cuerpo y los latidos de su corazón. Parecía una repetición del último danzón que bailó con Lucero en el DF. Terminó la fiesta. Como ya se había hecho costumbre, Lupita acompañó a Jake al hotel. Esta vez se quedó en su habitación.

Al día siguiente, mientras compartían la misma alcoba con Lupita, recibió la mala noticia de la muerte de su hermana Carolina. La coincidencia del fallecimiento más la consumación de su amor con Lupita lo hicieron entrar en crisis. Por esa razón me buscó. Tenía los sentimientos encontrados. Me preguntó qué hacer. Con mucha cautela le dije que aprovechara la segunda oportunidad que le ofrecía la vida. No tenía nada que perder. Sus hijos estaban grandes y ya no lo necesitaban. Iban a entender su decisión. Su matrimonio con Samantha, la norteamericana, estaba quebrado, se mantenía por pura rutina. Era una relación donde se había perdido la amistad y la confianza. A Jake le constaba que su esposa seguía practicando el amor libre a pesar de que nunca se habían puesto de acuerdo en tener un matrimonio abierto. Jake bebió mucho para aplacar la pena y el coraje esa noche en el Restaurante Altuna. Lo abandonó tambaleándose sin despedirse. No lo pude seguir. Las dos botellas de tempranillo que terminamos produjeron su efecto. No me podía parar y tenía la garganta reseca para gritar y decirle que no se vaya. Jake no vino a las reuniones vespertinas en el Hotel Special los días siguientes. Pregunté al recepcionista si sabía algo de él. Me contestó que ya no se alojaba con nosotros. Pagó su cuenta al contado y se fue sin dejar señas. Pensé con una sonrisa en los labios que decidió continuar su relación con Lupita y no quería testigos de su adulterio. A las pocas semanas tuve que volver a Ann Arbor para continuar mis estudios. Mis nuevos amigos hicieron lo mismo. Luego de varios meses

Adam me envió una invitación para asistir a la inauguración de la exhibición de sus fotografías en una galería de Boston. Al año siguiente, Rachel me escribió avisando que estaba embarazada y que ya tenía fecha para la defensa oral de su tesis.

Muchos años después de mi visita a Guatemala recibí una llamada telefónica de una desconocida. Ella me habló en inglés con un acento neoyorkino.

—¿Es usted Mr. Luis Zea?

—Sí, ¿con quién hablo? —le pregunté al desconocer su voz.

—Soy Samantha O'Hara, exesposa de Jake, el profesor de inglés que trabajó en la universidad en el verano de 1992 en Ciudad de Guatemala. ¿Se acuerda de él?

—Por supuesto —exclamé—. ¿Qué pasa con Jake? Hace veinte años que no sé nada de él.

Samantha me puso al día sobre la vida de su exmarido. Después de volver a los EE.UU. a fines del verano de 1992, Jake se dedicó a la bebida, se volvió violento, perdió el trabajo y se divorció. Las leyes lo obligaron a vivir solo en un pequeño condominio. Durante su tratamiento contra el alcoholismo le diagnosticaron bipolarismo. Para poder funcionar en sociedad tenía que tomar medicamentos todos los días. Le había pedido a su exesposa el favor de comunicarse conmigo.

—Señora O'Hara: ¿Cuál es la dirección y el teléfono de Jake? Me gustaría restablecer contacto con él.

—No se los puedo dar —me respondió. Jake me encargó compartir la información que le di sobre su persona y nada más. Él lo va a llamar cuando sea conveniente. Buenas noches.

Cuando Samantha me colgó el teléfono me di cuenta de que Jake no siguió el consejo que le di durante nuestra última conversación en el restaurante español Altuna de la Ciudad de Guatemala.

**Rocío Uchofen** nació en Lima, reside en New York. Estudió Lingüística y Literatura en la Pontificia Universidad Católica del Perú. Ha publicado los poemarios *Liturgias clandestinas* (Editorial Taller del Poeta, 2004, España), *El oscuro laberinto de los sueños* (Tranvías Editores, 2011, Perú), el libro de relatos *Odalia y otros sin esquina* (Editorial The Latino Press, 2004, USA), *Geometría de la urbe* (Carpe Diem Editores, 2018, Perú). Su cuento "Vuelve" fue antologado en *La tentación de escribir* (Editorial Literatura Peruana, Lima 1993) como finalista del premio Magda Portal. Asimismo, ha publicado en las antologías: *Queremos Tanto a Nena* (Editorial Taller del Poeta, España 2005), *La Poesía nos une* (Editorial Carpe Diem, Lima, 2017). "Poemas Ganadores" finalista del premio Copé de Poesía 2013 (Editorial Copé, Perú, 2014). "Ensayos y Relatos" en la revista *Dédalo* (Editorial PUCP, Perú, 1995). Poemas en *Hostos Review* (Editorial Hostos Community College, 2008). Es directora de la revista literaria *Híbrido Literario*, New York. Conduce y dirige el programa cultural *Híbrido Literario*, de literatura y música en la radio de Staten Island, New York, donde difunde literatura en español y bilingüe.

Para contactar: oruc135@gmail.com y www.hibridoliterario.com

La noche de Sandy
Rocío Uchofen

El hijo era el más miserable. Un hombre de ojos pequeños y manos rudas que nunca tocaron a la anciana, más bien se encargaban de contar las latas de soda o las manzanas en la canastilla de metal, no vaya a ser que yo me haya robado algo. Creo que ellos pensaban que yo me engordaba a sus espaldas, porque la anciana no comía mucho, salvo su porción de arroz, su pollo sancochado, una manzana al día, una latita de soda a las quinientas. Yo venía trabajando para ellos ya casi ocho meses y más o menos me iba dando cuenta de lo que sucedía. La hija, quien vivía con ella la mayor parte del tiempo, sabía esconder lo que pensaba; se la veía siempre sonrosada, más por maquillaje que por calor, su cabello corto y sus caderas anchas que le daban un aire como de matrona, ese avanzar lento, ella nunca quería cargar o hacer nada en la casa, para eso estaba yo.

La agencia me envió la primera vez como suplente, la cuidadora original se había roto un pie en el trabajo, así que yo llegué con mis pocos meses de experiencia y mi nerviosismo. La anciana era más bien delgada y pálida, casi no hablaba y sus ojos me daban cierta desesperación, era como si estuviese cuidando a mi abuela y su tristeza me horadaba el alma.

Los días en esta isla eran medio aburridos. Yo no me acostumbraba, siempre trabajé en Bay Ridge, Brooklyn, un lugar tan lleno de gente y tiendas. Mi primera paciente fue una anciana de casi noventa y ocho años, a quien cuidé con esmero esos primeros tres meses de trabajo, hasta que cierto día se murió con la modestia de un pajarito. La familia me había cogido cariño, me dejaron estar un par de días más con la tarea de limpiar el pequeño departamento, a donde nadie quería regresar; luego me agradecieron con algo de dinero y la agencia me envió a Staten Island.

Este vecindario era más bien callado, casitas de un solo nivel, decoradas según la estación, flores en el jardín, ardillas correteando entre los árboles. Los vecinos de al frente era una familia con varios niños; a los de la izquierda nunca los vi; la vecina de la derecha me tocó la puerta cierto día para preguntarme si había visto a su gato. Yo no tenía que salir para nada, los hijos se encargaban de surtir la casa con todo lo necesario, un jardinero limpiaba el pequeño jardín, el cartero llegaba puntual entre las doce y una, y así sucesivamente. Cada fin de semana yo hacía una lista de lo que faltaba en la ʳcasa y la dejaba pegada en el refrigerador antes de irme.

Octubre es un mes raro, hace calor, hace frío, llueve o hace un sol radiante que a una la pone a pensar que el verano pudiera irrumpir nuevamente, hasta que regresa la realidad: hay que abrigarse bien. La casita de la anciana estaba localizada cerca a la playa, a veces el olor salino inundaba la calle como un recuerdo de tiempos mejores, como cierto aroma antiguo. Yo llegaba a la casa los lunes y me iba los sábados. La hija trabajaba para una compañía que la llevaba de viaje cada cierto tiempo, por eso me necesitaba con cama adentro. En casa solíamos pasarla de forma tranquila, el televisor a un volumen bajo, para no asustar a la viejita, el almuerzo a la una, la cena a las seis. A veces me sentaba con ella y le limaba las uñas, la anciana se dejaba hacer, sus ojos medio grises me miraban y luego se perdían en algún lugar, seguramente muy lejos de aquí.

Ya para fines de octubre, la hija me avisó que se iba, otra vez, de viaje de negocios; me pagaría casi el doble por quedarme fuera de mis horas de trabajo. «Yo llego el primero de noviembre, Juanita, hazme este favor», me imploró. A mí me pareció bueno el trato. Pensé en lo que tenía en ese momento: mi cuarto era un sitio oscuro, medio húmedo y aburrido; no me alcanzaba para comprar un televisor o algo parecido, ya que tenía que enviar dinero a mi madre, allá en mi tierra, para que me cuidara bien al niño. Si me quedaba con la viejita, iba a comer bien y ver televisión sin problemas. Recuerdo que el lunes antes de que se fuera, llegaron un par de uniformados y hablaron con ella unos quince minutos; yo no entiendo mucho inglés, pero algo les escuché acerca de una evacuación. Sin decirme nada, ella guardó los papeles encima de la refrigeradora, regresó a su dormitorio y al poco tiempo bajó con una maleta pequeña.

«Juanita, mi hermano no está en la isla porque ha tenido que ir a ver a su hija en Pennsylvania. Los que han llegado hace poco, me han dejado un aviso de que va a haber una tormenta la próxima semana. El año pasado dijeron lo mismo, nosotras evacuamos y no pasó nada; para colmo alguien se aprovechó y quiso forzar la puerta para robar, me costó casi mil dólares reemplazar todo el marco. No te asustes, seguramente va a llover mucho. Ustedes se van a dormir temprano y ya al día siguiente llaman a la ciudad si entra algo de agua en el sótano», dijo la hija despidiéndose.

Los dos primeros días solas tuvimos mucho viento y una lluvia que iba y venía. La televisión en español hablaba de la tormenta como algo terrible que se aproximaba. Me dio miedo.

Para calmarme me repetía que esta casa, a pesar de ser pequeña, era fuerte y estaba bien cuidada.

La tormenta ya había pasado por Cuba y Bahamas sería al día siguiente, luego el noticiero afirmó que ya estaba muy débil, entonces me fui a acostar.

La mañana del 27 amaneció húmeda. Escuché voces en la calle. Cuando me asomé, vi que los vecinos del frente se iban, sus mochilas hinchadas de cosas, hablaban de manera animada y una pensaría que estaban yéndose de vacaciones. Toda la tarde hubo viento, lluvia y oscuridad.

La señal de la televisión se cortaba de cuando en cuando, pero recibía los informes de noticias, la tormenta iba a pasar muy cerca.

La anciana estaba medio cansada, yo no quería que ella se enfermara porque iba a ser difícil sacarla a un hospital con la lluvia. Estaba esperando que la hija me llame, pero no lo hizo, ya eran casi cinco días sin ella, me imagino que estaba ocupada y confiaba mucho en mí, pero igual me incomodaba. El viento estuvo tan fuerte esa noche que yo casi ni podía dormir, era un ulular medio extraño, las ventanas se movían como si cientos de dedos las tocaran levemente, me hizo acordar a los temblores de mi tierra, pero no quería estar asustada, sabía bien que era una pequeña tormenta; varias veces me desperté a ver a la anciana, ella dormía plácidamente.

La hija nos llamó al día siguiente, recuerdo haber escuchado el timbre del teléfono casi en sueños y cuando me levanté, me enteré de que ella estuvo llamando antes, parece que yo había dormido profundamente, eran las siete de la mañana. Le expliqué que la noche estuvo muy movida, me preguntó si la policía había regresado a pedir que evacuaran, yo le dije que no, pero le conté de los vecinos. Me dijo que no me preocupara, que siempre es así, que nunca ha pasado nada. Ya más tranquila, me relajé y me preparé para el día, la lluvia todavía continuaba, pero no se veía tan terrible, había mucho viento, eso sí, pero no era la primera vez que yo veía el viento mover ramas y estremecer ventanas.

El noticiero latino nos avisó casi a las ocho de la noche que la tormenta ya llegaba a Nueva York. Con tanta lluvia y viento, yo sinceramente pensé que ya estaba aquí, que tal vez no hablaban de esta isla sino de más arriba, así que apagué el aparato y llevé a la viejita a dormir. El hijo llamó a las nueve de la mañana del día siguiente. Me preguntó si todo estaba bien, le conté que llovía desde hacía un par de días y que tal vez tuviéramos que evacuar. Pero él me dijo: «No va a pasar nada, sólo cuida a mi madre, yo las veo la próxima semana».

La señal de televisión se fue como al mediodía, que más bien parecía las seis de la tarde, estaba tan oscuro y la fuerza de la lluvia no dejaba ver nada más allá de unos cuantos metros; además, el sonido de los rayos en la tormenta eran como pequeñas bombas y todo eso me ponía nerviosa. La anciana no quiso comer, por más que hice algo que le gustaba, se negó, tuve que botar todo porque no me gustaba servirle comida recalentada. El viento movía la casa de una forma tan intensa que yo tenía miedo de que fuera a volar como en la película *El Mago de Oz*. Me preocupaba que la viejita no comiera, le hice un jugo de frutas, que bebió con mucha reticencia, seguramente estaba asustada. Mientras la hacía tomar el jugo, le acaricié la cabeza y los pocos cabellos que tenía, traté de tranquilizarla con palabras que ni yo misma creía. Me molestaba no tener televisión, así que con la esperanza de que todo calmara al día siguiente, la llevé a acostarse, la ayudé a levantarse de su silla de ruedas y la abrigué bien, mientras las ventanas parecían azotadas por miles de manos. Apagué la luz del dormitorio y regresé a la cocina para lavar los trastes. En esas estaba cuando se fue la luz. Me asustó mucho, sobre todo porque había olvidado dónde estaba la linterna, la cual hallé encima de la mesa del comedor, luego de tantear casi todo y tropezarme con una silla. Iba a regresar a la cocina cuando mi linterna iluminó cierto brillo en la sala, me intrigó y lo estuve mirando por varios segundos hasta darme cuenta de que era agua y que estaba avanzando hacia mí. Entonces, sobresaltada, vi que las ventanas parecían moverse agitadas, como si alguien las golpeara con los brazos, o como si mucha gente tratara de entrar. No quise gritar, pero corrí hacia el dormitorio de la anciana, y mi linterna temblorosa alumbró el pánico de sus ojos inmensos. Como pude la levanté, la senté en la silla de ruedas y la tapé con lo que encontré cerca, necesitaba mi chaqueta, que había dejado en algún lugar del dormitorio, no podía pensar, cuando por fin la vi al costado de mi cama plegable, un sonido tan fuerte como el de patadas de caballos me avisó que ya era muy tarde. Tal vez escuché voces, o mi miedo me hizo gritar, o la fuerza del agua llegaba hasta nosotras con sus propios gritos, pero de inmediato sentimos el rugir de una ola inmensa que invadió nuestro espacio en la oscuridad, sentí la mesa, las sillas, pedazos de algo que parecía madera o qué se yo. Lo único que recuerdo con certeza es que mientras yo jalaba a la anciana para escapar por la puerta de atrás, el sabor a desagüe de la ola invasora me avisó que todo era inútil, el agua me llegaba hasta la cintura. Volteé y de pronto vi que la sala era un hueco sin techo, un terrible espacio que acababa en lo oscuro de una tormenta hecha monstruo, era como si el mar se hubiera escapado, la fuerza del agua me tiró lejos de la silla de ruedas, la brutalidad de esa ola inmensa me empujó contra la puerta, me levantó, me inundó, me poseyó, me aventó con furia, hasta que mi cabeza se chocó contra algo. Entonces, la oscuridad maligna de un torbellino infernal absorbió mis pocas energías, su violencia ahogó mis gritos. Todo fue agua, todo fue un remolino de agua.

Segundo plano
Rocío Uchofen

La mujer solía aparecer a mi izquierda cada vez que yo me miraba en el espejo.

Sucedía desde hacía tanto tiempo que se había vuelto costumbre y ya no me atemorizaba como en la infancia. Era una figura más bien triste, que prefería los segundos planos, y se ubicaba detrás de mí cada vez que me acercaba a retocar el maquillaje, o simplemente me asomaba a su mundo (reflejo del mío) para observar la tersura de su piel, aquella tez como de porcelana. Jamás respondió a mis preguntas, era un ser silencioso quien, con el correr del tiempo, se volvió un familiar más, como mi madre, mi padre, o las perritas que nos habían heredado los abuelos. Sólo se aparecía ante mí y únicamente en el espejo de marco dorado que estaba en el salón principal de la casa, así que preferí callar su presencia y tratarla como esos secretos de familia que todos guardamos en silencio en algún rincón del alma.

Nunca supe quién era pero me hacía compañía y le estaba agradecida por eso. De igual forma, cuando la situación económica arreció y tuvimos que vender la casa, no me desprendí del espejo, lo colgué frente a la cama en mi habitación diminuta del noveno piso del multifamiliar al que nos mudamos. Ella seguía allí, como parte de mi reflejo, cada vez que yo que me acercaba. Su mirada indolente me observaba y era parte de mis sueños.

La perdí la noche del atentado, cuando el coche-bomba se estrelló contra el edificio y todo explotó en un gran estruendo. Mi habitación, al igual que las de los pisos aledaños, desapareció en los escombros. El espejo también se pulverizó y quizás lo mismo le pasó a ella, o tal vez consiguió la libertad eterna. No lo sé. Lo que es yo, vago triste y eternamente por mi infierno, mi voz ya no existe en el mundo y me lamento en silencio, mientras busco una salvación en cualquier reflejo enmarcado que me contenga.

 **Julio Jesús Zelaya Simbrón** nació en Lima y reside en New Jersey. Es abogado. Tiene un grado de maestría en Lengua y Literatura Hispanoamérica. Ha publicado *Evocaciones de un limeño del siglo XX*, (Publimax Printing, 2001), *Corongo, Cuentos, mitos, leyendas e historia política* (Publimax Printing, 2016). Es columnista del periódico *Vistazo Hispano* de New Jersey y redactor y escritor de la revista *Entre Rascacielos* de New York. Integra el Gremio de Escritores de New Jersey y la Academia Norteamericana de Literatura Moderna Internacional, sede New Jersey.

Para contactarlo: juzesi@yahoo.com

Dos amigos, dos bohemios
Julio Jesús Zelaya Simbrón

Los Barrios Altos y el Rímac son dos barrios populosos de Lima cuyas gentes son de similar idiosincrasia, es decir, alegres, bohemios, jaranistas, criollos y trompeadores.

En esos barrios se había criado el joven Julio Jesús, quien desde los quince años de edad era cultor de la música criolla. En las noches, él se reunía con jóvenes que cultivaban ese tipo de música peruana llámese vals, polka o marinera. Este hecho era ignorado por sus padres, quienes se esmeraban por educarlo, con el deseo de que algún día fuese un profesional como el progenitor. Muchas veces, junto con sus amigos Pedro Vicente Grados, Daniel Quispe, Carlos Islas y otros más, daban serenatas a diversas amistades. Esto hacía que retornara de madrugada a su casa, lo cual tenía incómodos y preocupados a sus padres.

Una de esas noches Julio se alistaba para salir de farra criolla, pero fue interceptado por su progenitor, quien le dijo: «Esta noche no sales porque tenemos que conversar». El padre de Julio era bastante serio, dedicado a su profesión, a la enseñanza y a la política. Esa noche salieron los dos de su casa ubicada en los Barrios Altos y se dirigieron a la Alameda de los Descalzos en el Rímac. Los monumentos de ese histórico lugar fueron mudos testigos de la conversación entre padre e hijo. El padre, también de nombre Julio, le increpó a su hijo duramente por su conducta y comportamiento, sin duda creyendo que andaba con malas compañías por las continuas malas noches y madrugadas fuera de su casa e incluso por haber descuidado un poco los estudios.

Luego de la conversación que duró casi una hora, don Julio le dijo a su hijo que lo acompañara y se encaminaron hacia el jirón

Trujillo. Al llegar a la tercera cuadra de dicha arteria, el padre le hizo ingresar a un zaguán y, después de trasponer el portón que lo protegía, tocó la puerta de un inmueble que había en el interior y, tras abrir la puerta un señor sorprendido exclamó: «Julio, ¡qué milagro...! Hace tiempo que no venías». Se trataba del local del Centro Musical Carlos Valderrama.

Ya en el interior tomaron sus ubicaciones y el padre dijo: «Me acompaña mi hijo, quien tiene diecisiete años, ¿puede haber algún problema?», preguntó porque en esa época la mayoría de edad era los veintiún años. Y le dijeron: «Si está contigo, que eres su padre, no. Además, tú eres un gran abogado». Luego agregaron: «Julio: ¿qué te vas a cantar? Hace tiempo que no te escuchamos». Y don Julio, poniéndose de acuerdo con los guitarristas, empezó a entonar un vals, luego otro y otro, y así por el estilo, ante el aplauso de los concurrentes.

Evidentemente que don Julio era un gran cantor, hecho que no era conocido por su hijo, que estaba maravillado y enorgullecido por ello.

Luego, uno de los presentes le dijo: «Oye Julio, y tu hijo ¿también canta?». Él respondió: «No lo sé». Sorprendido por esta respuesta, en forma inmediata el joven Julio dijo a los guitarristas: «Señores, un mi menor» y se puso a entonar un vals y luego otro y otro, ganándose el aplauso del público. El padre resultó sorprendido, pues ignoraba —igualmente— que su hijo cantara. Luego alguien dijo: «¿Por qué no cantan a dúo?». Y así lo hicieron.

Ya en horas de la madrugada retornaron a su hogar dos amigos, dos bohemios.

Recién el padre comprendió el origen de las tardanzas nocturnas.

La hermana desconocida
Julio Jesús Zelaya Simbrón

Corongo es una provincia del departamento de Ancash, Perú, y cuenta con siete distritos: Aco, Cusca, Bambas, La Pampa, Yanac, Yupan y Corongo.

Como pueblo, existe desde hace muchísimos siglos. Incluso fue una aguerrida comunidad que enfrentó a los incas.

En la época de la colonia española adoptó como patrón al apóstol San Pedro. Como provincia fue creada por ley de la República el 26 de enero de 1943, luego de una tenaz gestión desplegada por sus hijos organizados en comisiones. Corongo es mundialmente conocida y famosa por la palla coronguina, la hermosa princesa con vestimenta especial de colorido y joyas.

Julio Jesús nació en Lima, capital del Perú, y desde muy pequeño escuchó hablar maravillas sobre Corongo ya que sus padres y abuelos eran de ascendencia coronguina. Incluso su padre fue presidente del comité pro-creación de la provincia y además el único diputado por dicha heredad en el Congreso de la República.

En el hogar de Julio se vivía coronguinismo permanentemente. Por ello, desde muy tierno y sin conocerla, empezó a querer a dicha tierra, con el deseo de visitarla algún día. Ya siendo joven, empezó a asistir a las fiestas costumbristas de Corongo en Lima, sobre todo a la celebración de San Pedro el 29 de junio de cada año.

Su padre siempre le manifestaba que algún día lo llevaría a conocer dicho pueblo. Lamentablemente, como él falleció bastante joven, no pudo cumplir su deseo. Pero este anhelo siempre continuó latente en Julio, quien se hizo la promesa de concretarlo algún día.

Corría junio de 1996, y Julio, quien ya tenía cincuenta años, recibió una invitación para concurrir a la fiesta patronal de San Pedro de Corongo en la misma localidad. Pensó que había llegado la oportunidad que durante años aguardó.

Inmediatamente se puso de acuerdo con Jaime, su hermano mayor, para viajar a Corongo. Entusiasmado, durante el trayecto iba recordando todo lo que sus padres y abuelos le habían contado de dicho pueblo. En su interior agradecía a Dios por estarle dando la oportunidad de conocer por fin el pueblo de sus ancestros.

Al llegar a Corongo, sobre las siete de la mañana, los dos hermanos fueron recibidos por una comisión presidida por el Dr. Apolinar Trebejo, quien acogió especialmente al menor con un fuerte abrazo y le dijo: «Julio, ¿tanto tiempo has esperado para venir a conocer a tu hermana?». Julio se quedó sorprendido por esta expresión y no supo qué pensar ni qué decir. ¿Sería que su padre había dejado descendencia ignota en Corongo? Infinidad de pensamientos se cruzaron por su mente. Hasta que Apolinar aclaró: «Sí, Julio, te digo esto porque esta provincia es hija de tu padre».

Al escuchar estas palabras Julio sintió que se le volvía el alma al cuerpo y, emocionado, agradeció. Luego fue invitado al local de la municipalidad, donde le mostraron el salón principal en una de cuyas paredes lucía una gran foto de su padre, con una reseña sobre su biografía y su obra a favor de Corongo. Ahí el alcalde provincial, hermano de Apolinar, pronunció un breve discurso evocando la destacada labor que desarrolló el padre de Julio para conseguir la creación de la provincia. Enorgullecido y con lágrimas de emoción, Julio dio las gracias por dicho gesto.

Al mediodía del domingo, Julio fue invitado a la plaza de armas para asistir a la ceremonia patriótica de izamiento del pabellón nacional, con presencia del alcalde y los concejales, el sub-prefecto, el juez de primera instancia, el fiscal provincial, el jefe del sector salud, el director provincial de educación, los representantes del ejército y la policía nacional, la banda de músicos y el grueso de la población.

Antes de iniciar la ceremonia, el alcalde invitó a Julio para que fuese él quien izara el pabellón nacional en honor y recuerdo de su padre en pleno suelo coronguino. En ese momento le pareció ver en el cielo el rostro sonriente de su padre.

Luego vinieron las invitaciones a las casas de parientes y amigos y, por último, la celebración de las fiestas patronales, bajo la presidencia del flamante juez de aguas, don Elías Garay, quien acababa de llegar de Nueva York, Estados Unidos, para tal fin.

Las fiestas duraron más de una semana durante la cual —luego de la procesión de San Pedro— disfrutó en grande de los platos típicos, bebidas y bailes, incluso hasta la madrugada.

Julio Jesús, quien se había hospedado en casa de Ambrosio Flores, hermano de su cuñada Marcela, en realidad pasó muy poco tiempo en dicha morada ya que solo llegaba a dormir un rato, asearse, cambiarse de ropa y luego seguir celebrando.

Fueron días plenos de alegría y evocaciones que estamparon un recuerdo imborrable en Julio, sobre todo cuando conoció la casa en donde vivieron sus abuelos y se crio su padre.

Al emprender el viaje de retorno a Lima, Julio se interiorizó para siempre una convicción: valió la pena ir a conocer a su hermana desconocida, la provincia de Corongo.

Curas modernos
Julio Jesús Zelaya Simbrón

Desde comienzos de la humanidad, los hombres se organizaron en grupos para afrontar los retos de la naturaleza. Primero fueron nómadas y luego sedentarios; se afincaron en un territorio para levantar sus domicilios, y eligieron al más fuerte y al más sabio como su jefe.

Al principio el hombre no encontró respuestas a muchas interrogantes que le ofrecía la naturaleza y por ello creó divinidades. Primero adoraron a los astros y luego a personajes mitológicos. A los dedicados a dirigir los cultos divinos se les llamó sacerdotes. En la religión católica se llama sacerdote al hombre consagrado a Dios, a Cristo y a los santos. Para ello es ungido y ordenado como tal, luego de una severa preparación. El hombre que ejerce el sacerdocio debe ser un dotado de virtudes y debe llevar una vida ejemplar como modelo para los feligreses. También se les llama curas o padres.

Allá por la década de los años 1970, Julio Jesús conoció al padre Manuel y se hicieron grandes amigos. El sacerdote, además de trabajar en iglesias y parroquias, estaba destacado en el Cementerio El Ángel, y con él dos curas más, que eran los encargados de dar el último adiós a los que dejaban este mundo. Asimismo, oficiaban misas de difuntos y también daban responsos en los nichos de los fallecidos.

Luego de terminadas sus faenas, estos sacerdotes se sacaban la sotana y se iban a refrescar con algunas bebidas espirituosas en ciertos bares donde ya los conocían y les atendían en sitios reservados, no accesibles para el público. En muchas oportunidades en las que Julio Jesús fue a visitar a sus difuntos, terminó celebrando con estos sacerdotes, quienes decían que con beber algunas copas de licor no estaban faltando a la ley de Dios, y que en todo caso eran curas modernos.

En una ocasión, brindando con unas copas, Julio recordó que tenía una invitación para celebrar el aniversario de una institución de los escribanos de Lima en su local de la avenida Paseo de la República, cercano al Palacio de Justicia, y les participó a los curas para que lo acompañaran. Ya en dicho lugar, se ubicaron en una mesa que les brindaron los socios encargados. Después de la ceremonia vinieron los brindis, la comida y el baile. Los sacerdotes, que se encontraban vestidos de civil, también se pusieron a bailar con las damas invitadas. Poco después, el padre Manuel le preguntó a Julio: «No tenemos cara de curas, ¿verdad?»; y todos siguieron divirtiéndose.

Ya en altas horas de la noche, y como producto de la embriaguez de algunos invitados, se generaron algunas discusiones que terminarían en peleas. Precisamente uno de los invitados increpó a uno de los sacerdotes el hecho de que mucho sacaba a bailar a su compañera y, pasando a la vía de los hechos, intentó pegarle. Pero sin contar con que el agredido era respondón: él repelió el ataque y, de un sonoro derechazo, lo tumbó al suelo. Luego la pelea se generalizó y los tres curas estaban en medio de ella repartiendo "combo y patada". Lógicamente, ninguno de los concurrentes supo jamás que los tres acompañantes de Julio eran sacerdotes.

En una oportunidad, Julio asistió a una boda invitado por los familiares de uno de los novios. La ceremonia del matrimonio civil y religioso se llevarían a cabo en el mismo domicilio en donde se realizaría la fiesta. Para ello los novios habían hecho los trámites pertinentes y obtenido las correspondientes autorizaciones del municipio y de la parroquia del lugar. Primero se efectuó la ceremonia del matrimonio civil, celebrada por el funcionario municipal destacado para ello. Ya estando por terminar, tanto los novios como sus familiares se encontraban preocupados, pues el sacerdote que debía oficiar el matrimonio religioso no hacía aún su aparición.

Tras el término del matrimonio civil, la inquietud aumentó mucho más; tanta, que llamaron por teléfono a la parroquia y, al no obtener contestación, enviaron emisarios a dicho lugar y no encontraron a nadie. Todo parecía indicar que el matrimonio religioso no se celebraría.

Luego de pensarlo mucho, Julio recordó que durante alguna conversación sus amigos los sacerdotes le manifestaron que de vez en cuando llevaban a cabo ceremonias religiosas a domicilio, tales como bautizos, matrimonios, etcétera, pero previas autorizaciones y coordinaciones respectivas. Fue entonces que les propuso a los padres de uno de los contrayentes ir a buscar a uno de sus amigos sacerdotes, para ver si podían salvar la situación. Como no quedaba otro remedio, salieron inmediatamente en busca del cura a una de las iglesias en las que pernoctaba. Para suerte de ellos, encontraron al padre Manuel y le pusieron al corriente de lo que sucedía. Al escucharlos, él manifestó que efectivamente celebraba matrimonios a domicilio, pero previa preparación, autorización y coordinación con la parroquia del lugar. Sin embargo, por tratarse de la amistad que tenía con Julio, iba a obviar esos trámites y que después se regularizaría con la parroquia pertinente. «¡El sacramento es el sacramento!», dijo, «¡y eso nadie lo puede disolver!». La ceremonia se celebró para felicidad de los contrayentes y los invitados; y el sacerdote después de realizarla, comió, bebió y bailó, como era su costumbre, sin sotana.

En otra oportunidad, Julio se aprestaba a celebrar el primer añito de uno de sus hijitos y también quería que lo bautizaran. Para ello le pidió a su amigo el padre Manuel que lo hiciese en su casa. El sacerdote respondió que no se preocupara, puesto que él mismo se iba a encargar de hacer los trámites en la parroquia pertinente. Llegado el día del cumpleaños, el padre Manuel llegó al domicilio en el Rímac y celebró el sacramento del bautizo de Jesús, hijo de Julio. Terminada la ceremonia le dijo a éste que después lo buscara en su iglesia para darle la constancia del bautizo a fin de inscribirlo en la respectiva parroquia. Luego vinieron los brindis, la comida y la fiesta, con la participación del padre Manuel, quien disfrutó como nunca. Ya en horas de la madrugada se retiró a su domicilio en un taxi contratado por Julio. Con este gesto, el padre Manuel confirmó su amistad hacia él. Posteriormente, Julio fue a solicitar al sacerdote amigo la constancia del bautizo para ir a recabar la partida en la parroquia. Pero él le dijo que no recordaba en dónde hizo el trámite de la dispensa y por más que buscó no lo encontró. Luego de ello se reunieron muchas veces más y estos religiosos, sin faltar a su ordenamiento, demostraron que eran unos modernos.

Fueron muchas las oportunidades que Julio Jesús alternó con sus amigos curas modernos: el padre Manuel y los otros dos, ambos llamados Jaime, pues los tres le tenían bastante aprecio.

Cómo serían de modernos estos sacerdotes que todos tenían familia, como Julio Jesús pudo comprobar, cuando ellos, demostrando la confianza que le tenían, algunas veces lo llevaron a los respectivos domicilios donde vivían sus hijos. Ellos le decían a Julio que tenían la confianza de que algún día la iglesia católica cambiaría su política con respecto al celibato para que muchos no mantuvieran ocultas sus familias ante la sociedad, lo cual daña a los hijos. «Creemos que esto debería cambiarse, tal y como lo hacen otras iglesias cristianas», decían.

Pasaron más de veinte años. Julio ejercía el cargo de concejal del Rímac en los años 1990 y como tal fue invitado en una ocasión a la celebración de un aniversario del Mercado El Baratillo. Al llegar, se percató de que la misa que daba inicio a la celebración la iba a oficiar uno de sus amigos sacerdotes, el padre Jaime. Luego de culminada la misa, Julio se acercó a saludarlo. Este, al reconocerlo, le dio un efusivo y fraternal abrazo. Luego Julio le preguntó por su amigo el padre Manuel y el cura, cambiando de expresión, lo cual preocupó a Julio, le dijo: «Precisamente hoy lo estamos despidiendo. Acaba de fallecer y lo están velando en el local de la Hermandad de la Virgen del Carmen». Julio dejó la celebración en la que se encontraba e inmediatamente se dirigió al lugar del velorio y se encontró con esa triste realidad: el padre Manuel había muerto. Luego fue al cementerio y despidió a ese gran amigo y cura moderno, como lo eran sus otros dos compañeros.

El sorteo jurídico
Julio Jesús Zelaya Simbrón

La suerte es una circunstancia casual que puede favorecer o desfavorecer. En consecuencia, cuando algo se dilucida por sorteo, será el azar el que decida. No todos tenemos suerte o, mejor dicho, la suerte nunca es completa. Se puede tener suerte para algunas cosas. Pero se puede ser desdichado para otras. Hay actos que necesariamente deben echarse al sorteo, cuando no hay una decisión humana que defina.

Hasta mediados de los años 1990, en que entró en vigencia la reforma del Poder Judicial, existía un auxiliar de justicia llamado secretario de juzgado, el cual con anterioridad se conocía como escribano de estado. Estos cargos eran ocupados, a través de concursos, por personas que conocían el acto procesal, sea este civil, penal, laboral, etcétera. Los secretarios de juzgados civiles tenían una particularidad: no pertenecían presupuestariamente al Poder Judicial, pero sí estaban subordinados a él, puesto que dicho poder los nombraba y también los descalificaba. Como no dependían presupuestariamente del Estado, sus emolumentos eran pagados directamente por los litigantes, bajo un arancel que fijaba la Corte Suprema.

Para ser secretario de juzgado civil, el nombrado tenía que conocer toda la trama del proceso, desde coser un expediente cronológicamente, hasta preparar proyectos de resoluciones para facilitar la congestionada labor del juez. Había que ser un experto en la materia. Muchos abogados, estudiantes o conocedores del proceso postulaban a este puesto, que, además de ser de gran responsabilidad, dejaba buenas ganancias al secretario, si es que este era de prestigio. Los estudios de abogados escogían el juzgado y el secretario en donde iban a interponer su acción, de acuerdo con la capacidad y ligereza procesal de aquellos. Muchos escribanos de estado dejaron gran escuela y de sus oficios salieron innumerables profesionales y muchos de ellos fueron incluso excelentes magistrados.

Julio Jesús había crecido entre expedientes y documentos afines. Su padre fue político y abogado. Él le dio las primeras enseñanzas en el trajinar diario por el Palacio de Justicia y los juzgados. Julio Jesús también abrazó la carrera de Derecho.

Corría el año 1976 y la Corte Superior de Justicia de Lima convocó a concurso público para proveer una plaza de secretario de juzgado en uno de los juzgados civiles de Lima. Se encargó a una Sala Civil de dicha corte para que tomara los exámenes escritos y orales a los postulantes. Julio Jesús estaba entre ellos. Al término de los exámenes, que eran bastante rigurosos dada la especialidad, los postulantes esperaban ansiosos los resultados.

Julio Jesús se sentía confiado, puesto que además de haber tenido bastante práctica con su padre y, al fallecimiento de éste, en otros estudios y con otros escribanos, también era egresado de la facultad de Derecho de la Universidad Nacional Mayor de San Marcos, donde optimizó su conocimiento. Se les informó que el ganador sería convocado por la Sala para una entrevista final. Con gran satisfacción, Julio Jesús recibió una esquela de notificación a través de la cual el presidente de la Sala lo convocaba para la referida entrevista, es decir, él había ganado el concurso.

Al acudir a la convocatoria, se dio con la sorpresa de que otro postulante también había sido citado, y encima era su amigo. Luego los hicieron pasar a ambos y el presidente les dijo: «Señores, han puesto ustedes a los miembros de esta Sala en un trance difícil. Los dos han dado un magnífico examen. Los dos han sacado las más altas notas. Los dos merecen el cargo. Pero, lamentablemente, la vacante es una sola. Los hemos llamado a ambos para decirles que el ganador no se sienta ganador y el perdedor no se sienta perdedor. La Sala ha tomado el compromiso con el perdedor de que para una próxima oportunidad será considerado el resultado de este examen. Y como no podíamos decidir bajo razón, lo hemos echado al sorteo, y usted ha salido ganador», dijo mirando al otro postulante. Luego, el presidente, dirigiéndose a Julio Jesús, expresó: «No se desanime, siga estudiando y practicando que secretarios como usted son los que necesita el Poder Judicial. Le repito que tenemos un compromiso con usted y la Sala Civil lo tomará en cuenta».

Julio felicitó a su compañero por su suerte y ambos se abrazaron. Julio Jesús no se amilanó y salió muy orgulloso de la Sala.

A fines del año 1977, hubo otra convocatoria para proveer secretarios a cuatro juzgados civiles de reciente creación. Las cuatro Salas Civiles de la Corte Superior serían las encargadas de examinar a los postulantes. Uno por cada juzgado.

Julio Jesús se presentó como postulante y fue asignado con otras personas a una de las Salas examinantes. Luego recibió un mensaje para que se presentara ante el presidente de la Sala donde había dado el examen anterior. Al acudir ante él, el presidente le dijo: «Don Julio, la Sala tiene un compromiso con usted, como le dijimos, pero usted no se ha presentado al concurso porque no lo hemos visto en la relación». Julio aclaró: «Sí me he presentado, señor presidente. Lo que sucede es que me han asignado a otra Sala para ser examinado».

Entonces el presidente expresó: «Esto no puede ser, lo tendremos que solucionar». E inmediatamente hizo llamar al secretario administrativo de la corte y le ordenó que agregara a Julio en la relación de concursantes de su Sala para que allí diera el examen. Julio agradeció y se retiró. Al hacer la gestión con el secretario administrativo, éste le manifestó que de acuerdo con el mandato del presidente iba a agregar su nombre a la relación de postulantes de dicha Sala. Pero que no lo podía eliminar de la relación de la otra Sala, porque para ello requería la autorización del presidente de la misma. Y en ese caso, él, o sea Julio, podía dar examen en las dos Salas.

Efectivamente, Julio se presentó a dar examen en las dos Salas y no defraudó a quienes le brindaron su confianza, puesto que en ambas alcanzó las más altas notas, ocupando el primer lugar. Luego tuvo que presentar su renuncia a una de ellas prefiriendo adscribirse al juzgado de la Sala para el que fue llamado por sus integrantes comprometidos con él.

Esta vez no hubo un sorteo jurídico.

Los inspectores de trabajo
Julio Jesús Zelaya Simbrón

Desde tiempos inmemoriales el poder político en ejercicio ha necesitado de gente para hacer cumplir sus disposiciones o servir a la comunidad. Ellos son los llamados funcionarios públicos.

En el Perú, por ley, estos cargos son ocupados por concurso. Pero esto en la realidad es letra muerta, ya que no se cumple casi nunca. Generalmente lo puestos ya están cubiertos por los favoritos del gobierno de turno y los "concursos" son meros formulismos para guardar las apariencias.

Julio Jesús y Germán eran dos amigos condiscípulos de la facultad de Derecho de la Universidad Nacional Mayor de San Marcos en los primeros años del decenio de los setenta. En uno de esos años tuvieron la noticia de que el Ministerio de Trabajo estaba convocando estudiantes de Derecho para seguir un curso sobre Inspección de Trabajo, auspiciado por la Organización Internacional del Trabajo. Para ello habían llegado funcionarios y profesores extranjeros.

Julio y Germán se presentaron a la convocatoria, así como otros condiscípulos y cientos de estudiantes más de diversas universidades de Lima y provincias. Se presentaron más de mil postulantes y, luego de un riguroso examen de conocimientos, quedaron sólo doscientos aptos para recibir el curso de dos meses, entre ellos, los condiscípulos mencionados. Después de las clases, únicamente treinta ingresarían a ocupar las vacantes para inspectores de trabajo. Ellos recibieron clases sobre seguridad social, relaciones laborales, derecho y legislación laboral, libros contables, seguridad industrial y otros tópicos.

Terminado el curso, los doscientos postulantes dieron dos exámenes: uno oral y uno escrito. Se dijo que a los que no ingresaran se les iba a otorgar certificado de participación en el curso. Luego de los exámenes se publicaron las listas y, para gran alegría de Julio y de Germán, ellos salieron entre los primeros puestos en la relación de treinta ingresantes. El aviso decía que estos se comunicaran inmediatamente con las oficinas respectivas para la firma de los contratos.

Cuando se dirigieron a dichas oficinas les dijeron que efectivamente ellos habían ingresado, pero que aún tenían que esperar detalles para la firma del contrato, así que luego los llamarían. Pero esto jamás ocurrió.

Pasaron los años y ambos se recibieron de abogados. Julio fue funcionario público, asesor de empresas y autoridad política y edil, mientras que Germán se convirtió en un excelente abogado penalista, catedrático, director de penales y viceministro de Justicia. Aunque siempre que se encuentran —ya maduros— ambos se preguntan: «¿Y ya te llamaron...? No te preocupes, ya nos llamarán».

Aquí sucedió lo que decía el recordado periodista Vicente Gonzales Montolivo en sus famosas charlas de café: «¡Lo que pasa es que a los buenos no nos llaman, no nos llaman!». Así es nuestro Perú.

Y, sin embargo, hasta el día de hoy Julio y Germán ostentan orgullosamente los certificados que los acreditan como Inspectores de Trabajo. No les importa no haber ejercido jamás, ya que aquello fue por culpa del clásico "tarjetazo" a favor de algunos favoritos del gobierno de turno.

Un reencuentro emocional de juventud
Julio Jesús Zelaya Simbrón

El Perú es un pueblo religioso, con gran mayoría de católicos y devotos de santos y santas patronales. Cada pueblo realiza grandes festividades que duran varios días en honor del que venera con devoción. Por ejemplo, en el pueblo de Corongo, que es una provincia del departamento de Ancash se le rinde culto a San Pedro y la fiesta principal se celebra el 29 de julio de cada año, día de San Pedro y San Pablo. La fiesta dura quince días.

Pero en el Perú en general, especialmente en Lima, se honra al Santísimo Señor de los Milagros, cuya celebración especial se da el mes de octubre de cada año. Cientos de miles de devotos acompañan a la sagrada imagen en procesión que dura tres días. Las andas son cuidadas y trasladadas por integrantes de una hermandad con miles de siervos. Esta devoción ha sido trasladada al extranjero y en especial a los Estados Unidos, donde en diversos estados existen hermandades del Señor de los Milagros que en octubre sacan en procesión su sagrada imagen.

Julio Jesús, fiel devoto del Señor de los Milagros, no pudo ingresar a la hermandad en Lima. Sin embargo, gracias a un artista muy amigo suyo, don Manuel Donayre, pudo integrarse a la Hermandad del Señor de los Milagros de Nueva York en USA, lugar donde reside desde 1997.

Cuando ya tenía algunos años en la hermandad, específicamente en la sexta cuadrilla de la misma, fue elegido fiscal de ésta. En octubre del 2007, como todos los años, Julio acudió a cumplir con su fe y su obligación, ya que por su cargo fue designado integrante del cuerpo de disciplina y vigilancia. Se encontraba en dicho acto de fe cuando de pronto tuvo un reencuentro que nunca imaginó, y que lo llenaría de emoción y le trajo a la memoria recuerdos de su adolescencia.

Asistiendo a la procesión se encontraba Adela, una amiga suya, junto con su hermana menor Nancy y su señora madre, doña Elena. Cuando se vieron, ambos no pudieron reprimir su emoción y sus recuerdos.

Se abrazaron afectuosamente. Julio y Adela fueron inocentes enamorados en su adolescencia. Se conocieron cuando ella tenía catorce y él dieciséis años, cuando ella estudiaba la primaria y él la secundaria. Habían pasado más de cuarenta y cinco años desde ello. Increíble el encuentro jamás pensado. Nancy, la hermana menor, dijo: «Julio, ¿te acuerdas? Qué bonito fue, ¿verdad?». Y Adela añadió, aun con mayor elocuencia: «¡Yo sí me acuerdo! ¿Y tú?». Julio no supo qué responder. ¿Cómo decirle que durante muchos años mantuvo latente su recuerdo?

Las palabras de Adela transportaron en unos segundos a Julio hasta más de cuarenta y cinco años atrás. ¿Cómo decirle que recordaba cómo se conocieron siendo escolares cuando los presentó una amiga común? ¿Cómo decirle que recordaba los momentos que pasaron juntos? ¿Cómo decirle que recordaba que él fue su pareja cuando ella cumplió sus quince años de edad y que doña Elena preparó un riquísimo picante de machas que agradó a todos los invitados al ágape en su domicilio? ¿Cómo decirle que durante mucho tiempo guardó fotografías de ese cumpleaños? ¿Cómo decirle que él recordaba aquella vez de un domingo en que se fueron con unos amigos en un paseo por tren que tomaron en la Estación Desamparados y que se dirigieron al pueblo de San Bartolomé, más allá de Chosica, en cuya cómplice verde campiña y bajo un sol esplendoroso y las sombras de unos frondosos árboles, se prodigaron caricias de una inocente pasión, jurándose amor eterno, ante avecillas que por allí circulaban? ¿Cómo decirle que él recordaba cuando la esperaba a la salida de su Colegio Guatemala, en Barrios Altos, donde ella estudiaba Cosmetología? ¿Cómo decirle que él recordaba las muchas veces que fueron juntos al cine, precisamente con Nancy, que entonces era una niñita de escasos ocho o nueve años de edad y que siempre la acompañaba, pues a Adela no la dejaban salir sola y que sus cines preferidos eran el Continental y el Conde de Lemos en los Barrios

Altos? ¿Cómo decirle que él recordaba las veces que cuando ella ya ejercía la cosmetología, él la esperaba a la salida de sus centros de trabajo, primero en el Salón de Belleza Yataco, y después en uno similar de Miraflores, cercano a la avenida Arequipa? ¿Cómo decirle que él sufrió mucho cuando ella se fue a trabajar a Iquitos, en la selva, y se tuvieron que separar, y que a pesar de que él sabía que vivía en el Jr. Sargento Lores en dicha ciudad, jamás le pudo escribir, pues no tenía la numeración? ¿Cómo decirle que él recordaba que la última película que vieron juntos fue *Taras Bulba* en el cine Leoncio Prado de Surquillo, pues él fue a recogerla de la casa de unas primas de ella que vivían en San Isidro, frente a Surquillo, lugar donde tuvieron una pequeña discusión que quizás fue el comienzo de su separación definitiva? ¿Cómo decirle que él derramó algunas lagrimillas cuando ella se casó en la Iglesia Mercedarias, donde muchas veces habían escuchado juntos la misa de doce? Cómo decirle todo eso y muchas cosas más que él recordó en contados segundos.

Sin embargo, volviendo a la realidad, Julio le contestó: «Yo ya voy a cumplir sesenta y dos años, tuve tres compromisos y tengo cinco hijos maravillosos y nueve nietos por ahora». Y Adela replicó: «¡Yo ya voy a cumplir sesenta años y también tengo hijos y nietos!».

Después, Julio se dijo para sus adentros: *¡Sigue siendo tan bella como siempre! No ha cambiado nada. ¡En cambio ella quizás ya me verá viejo!*

Luego de unas cuantas palabras más, tuvieron que despedirse. Dios sabría hasta cuándo si les seguía prestando vida.

Dicen que recordar es volver a vivir y Julio en un segundo volvió a vivir su apasionada adolescencia en ese reencuentro emocional.

Entonces se dijo: *¿Habré sido infiel con estos recuerdos? ¡Creo que no! ¡Sólo son recuerdos!*

Perdonar es divino
Julio Jesús Zelaya Simbrón

El perdón es un acto de indulgencia a través del cual se puede dispensar a una persona de un mal acto en el que ha incurrido.

Muchas veces se cometen actos que suelen ser imperdonables. Por eso se invoca a Dios, pues es el único que puede perdonarlo todo. Por eso perdona nuestros pecados si verdaderamente nos arrepentimos. Por eso se dice que perdonar es divino.

Julio Máximo y Gabino era dos hermanitos provincianos nacidos en Lima y Corongo, respectivamente, y sus primeros añitos los pasaron en esa provincia del departamento de Ancash. Debido a que su primera educación la recibieron en dicho pueblo, también hablaban perfecto el quechua conchucano.

Luego su familia los trajo a Lima. Se ubicaron en el distrito del Rímac terminando ambos en el Colegio Filomeno. En esas calles del Rímac se acriollaron. Aprendieron a jugar fútbol a la perfección, y fundaron el Club Círculo Sportivo Corongo con los coronguinos radicados en Lima y el Peruvian Boys con sus amigos del Rímac. Con ambos clubes obtuvieron muchos campeonatos. Ambos eran unos magníficos peleadores, sobre todo cuerpo a cuerpo. Más que hermanos, eran amigos inseparables y se querían entrañablemente.

Al llegar a su mayoría de edad, tuvieron que decidir su destino. Julio Máximo, el mayor, al terminar la secundaria ingresó a la Universidad Nacional Mayor de San Marcos donde culminó Ciencias Contables, Letras, Historia y Geografía y Derecho.

Gabino, por su carácter impetuoso, su arrojo, su afán de justicia y su afición al tiro con fusil, por el cual ganó un campeonato en un club de tiro del Rímac, decidió ser policía de investigaciones.

Como eran solteros, después de cumplir con sus obligaciones laborales, se veían todos los días en el hogar paterno. Julio Máximo era funcionario público y Gabino ya era policía. Este último comenzó a destacar por su valentía y arrojo en el cumplimiento del deber.

Realizó importantes capturas de peligrosos delincuentes y dirigió positivas investigaciones contra la criminalidad por lo cual fue reconocido en su institución.

Julio Máximo se inclinó por la política y tenía bastante simpatía por el Partido Aprista, que por esos años —en el primer gobierno de Manuel Prado— fue declarado fuera de la ley, haciendo que sus partidarios pasaran a la clandestinidad al considerársele como un grupo subversivo.

Corría el año 1941. Era el 1 de febrero. Ese día, Gabino salió de franco para descansar, cuando fue convocado por uno de sus jefes para efectuar una intervención en un local del barrio de Chacra Colorada en Breña, donde por una información se tuvo conocimiento de que un grupo subversivo —llámese del Partido Aprista— se encontraba complotando contra el régimen constituido.

Los policías llegaron y Gabino, arma en mano, fue el primero en ingresar. Los intervenidos también se encontraban armados. Comenzó una balacera. Los intervenidos huyeron por los techos y ganaron las calles. Gabino también subió al techo y corrió en persecución de uno de ellos, tirándose también hacia la calle. Este corría volteando y disparando. Gabino disparaba al aire.

El perseguido dobló una esquina y se escondió esperándolo. Gabino pasó de frente y su enemigo le disparó a quemarropa en la espalda. Gabino cayó herido de muerte, pero tuvo tiempo para voltear y dispararle a su opositor, quien también cayó herido de muerte. Gabino expiró al rato. Su atacante fue llevado grave al hospital. Se encontraba agónico. Su familia fue a visitarlo y le informó a quién había matado.

Resulta que Pedro Sánchez "Perico", el asaltante, era también un gran amigo de Julio Máximo, por lo que solicitó —por favor— que le llevaran ante él al hermano de Gabino para pedirle perdón.

Julio Máximo recibió la trágica noticia con bastante dolor. Su querido hermanito había sido asesinado. No lo podía creer. ¿Por qué se iba tan joven? ¿Por qué ese destino? ¿Por qué Dios se lo arrebataba? Luego, en pleno dolor, recibió la visita de los familiares de "Perico" Sánchez, quienes le suplicaron que lo fuera a ver. Julio Máximo, a pesar de su angustia y pena, fue a verlo. Perico le dijo: «Julio, perdóname, no sabía que era tu hermano; ¡si no me perdonas, no podré morir tranquilo!». Lloraba copiosamente. Julio también se puso a llorar. Lo abrazó y le dijo: «Te perdono». Perico murió en el acto. Parecía que solo estaba esperando a Julio Máximo para morir. Julio Máximo demostró su grandeza de alma al perdonar al asesino de su hermano.

Gabino fue enterrado con los honores de su institución y de la sociedad en general, quienes acudieron en masa a la prefectura de Lima en donde fue velado. En la escuela de oficiales de la policía de investigaciones se levantó un epitafio con su nombre y todos los años en el aniversario de la institución se le rinde un homenaje, pues es uno de sus primeros mártires.

Julio Máximo jamás olvidó a su querido hermano, siempre lo tuvo presente. Tanto así, que siendo bastante mayor y cuando tenía ya tres hijos jóvenes, cierta vez acudió con dos de ellos a una fiesta coronguina que se realizaba en un local ubicado en La Rinconada Santo Domingo, cercado de Lima. Al salir fueron asaltados por unos facinerosos. Pero no sólo repelieron el ataque sino que Julio Máximo y sus hijos, Julio Jesús y Carlos, se enfrentaron a golpes con los bandidos. Julio Máximo inconscientemente le decía a su hijo Julio: *¡Cuidado, Gabino!* *¡Cuidado, Gabino!*

Seguramente ese encuentro le trajo a la memoria los muchos que sostuvo al lado de su recordado hermano Gabino. Y por ello afloró su nombre en esas circunstancias.

Julio Máximo también recordaba a "Perico" Sánchez, a quien perdonó. Él decía: «¡Si yo lo perdoné, seguro que también Dios lo perdonó, porque perdonar es divino!».